DU MÊME AUTEUR

Le livre des vies coupables. Autobiographie de criminels (1896-1909), *Albin Michel, 2000*

Vidal, le tueur de femmes. *Essai de biographie sociale, avec Dominique Kalifa, Perrin, 2001*

Lettres perdues. Écriture, amour et solitude. xixe-xxe siècles, *avec Jean-François Laé, Hachette Littératures, 2003*

D'après Foucault. Gestes, luttes, programmes, *avec Mathieu Potte-Bonneville, Les Prairies ordinaires, 2007*; «Points Essais», *2012*

68, une histoire collective (1962-1981), *codirigé par Philippe Artières et Michelle Zancarini, La Découverte, 2008*

La vie écrite. Thérèse de Lisieux, *Les Belles Lettres, «Histoire de profil», 2011*

Mémoires du sida. Récit des personnes atteintes (France, 1981-2012), *avec Janine Pierret, Bayard, 2012*

Reconstitution. Jeux d'histoire, *Manuella éditions, 2013*

Vie et Mort de Paul Gény, Éditions du Seuil, coll. «Fiction & Cie», *2013*

L'asile des photographies, *avec le photographe Mathieu Pernot, Le Point du jour, 2013*

Clinique de l'écriture. Une histoire du regard médical sur l'écriture, *La Découverte, 2013*

La police de l'écriture. L'invention de la délinquance graphique, *La Découverte, 2013*

Intolérable *du Groupe d'information sur les prisons, présenté par Philipe Artières, Verticales, 2013*

rêves d'histoire

pour une histoire de l'ordinaire

philippe artières

rêves d'histoire

pour une histoire de l'ordinaire

verticales

Ces rêves d'histoire ont été nourris par nombre de discussions avec mes amis. Un salut reconnaissant à ces rêveurs éveillés et bienveillants que sont Barbara Artières, Pascal Baldini, Sylvie Gillet, Annick Arnaud, Vincent Josse, Jean-François Laé, Pierre Lascoumes, Emmanuel Laurentin, Pierre Linhart, Stéphane Michonneau, Béatrice Fraenkel et Rémi Toulouse. Un signe enfin à mon collègue de l'université de Varsovie, Pawel Rodak : c'est dans « la longue nuit polonaise » que j'ai couché ces rêves sur la page ; et à mes anges gardiens québécois, Catherine Chouinard et Daniel Desputeau.

Les éditeurs remercient Guillaume Müller-Labé et Philippe Bretelle pour le traitement des images.

« Est-ce donc tout ce que je suis capable de faire de ce lieu et de ces gens ? »

Russell Banks,
Le Livre de la Jamaïque, [1980] 1991

« Assurément, l'histoire est difficile. »

Michelle Perrot,
Les Ouvriers en grève, 1974

Comment travaillent les historiens ? Qu'est-ce qui les amène à entreprendre d'enquêter sur un événement, une pratique, un lieu ? D'où vient ce besoin de consacrer parfois des années à répondre à une question relative à notre passé ? Je suis de ceux pour qui cette impulsion survient du présent, non qu'elle soit en rapport avec l'actualité, mais bien plutôt, comme disait Walter Benjamin, elle la « télescope » ; c'est toujours pour moi un choc qui est d'abord physique. Ainsi surgit-elle aussi bien à la lecture du journal, au fil d'une promenade dans la ville, devant une liasse d'archives, face à un souvenir, à la suite d'une discussion, ou encore au sortir d'un colloque. Le moment où un nouveau projet émerge est semblable à une ivresse : on se dit soudain qu'il faudrait faire l'histoire de tel ou tel événement, travailler sur telle ou telle notion, enquêter sur telle ou telle figure, entreprendre telle ou telle archéologie. Des interdits tombent, les repères s'estompent, on se laisse aller vers un ailleurs.

Petites ou immenses, ces envies d'histoire sont légion. Beaucoup demeurent à l'état de pistes et n'ont d'autre fonction que d'ouvrir de nouvelles voies que l'on empruntera plus tard. Certaines demeurent secrètes, rêves d'histoire tant on voit mal alors comment les mener. Pour les nommer, un mot suffit, et derrière lui se déplie l'envie. Ces projets n'occupent parfois l'esprit que quelques heures, mais on imagine alors tout ce qu'ils révéleraient, on convoque les sources disponibles, on frémit à tous les possibles dont ils semblent gros.

Souvent, l'enthousiasme retombe quelque temps après, à la première critique, à la première discussion, à la première diversion. Mais qu'importe, quelque chose avec ce projet avorté s'est déplacé; infime mouvement qui permet souvent de voir apparaître un détail jusque-là ignoré.

D'autres projets n'ont pas le même sort : ils seront développés, feront l'objet de copieuses recherches en archives, occuperont de nombreuses semaines, deviendront articles et parfois même livres. De leur formulation initiale, il restera au final rarement trace, on les aura étoffés, blindés, musclés, bétonnés… Un appareil scientifique sera venu l'entourer, la mortifier aussi. Pourtant, c'est bien de la faiblesse de ces quelques lignes que ces travaux sont issus.

Ce sont donc ces rêves d'histoire qui sont ici rassemblés, dans leur brièveté et leur fragilité, dans leur incongruité et leur naïveté.

Pourquoi livrer ainsi ses rêves? Sans doute parce qu'ils sont à la fois trop et pas suffisamment personnels pour les conserver par-devers soi. Ils composent en effet le programme de travail d'une introuvable équipe pour les années à venir et une sorte de manifeste improbable pour une autre histoire. Au-delà du fait qu'une trentaine de projets sont trop pour un seul homme et une seule vie, il y a un désir impérieux de faire circuler les idées, de les soumettre à la critique, de provoquer des rencontres aussi. Là est l'un des objectifs de ce livre, éprouver ses rêves à la réalité des lecteurs. Il s'agit également de faire partager, tout simplement, le plaisir du métier d'historien, cet inlassable plaisir de chercher qui n'implique pas qu'il ne soit jamais le théâtre de drames et de peines, mais qui toujours vous déprend de l'endroit que vous occupez, vous arrache à votre lieu. Publier ces rêves d'histoire est en ce sens une invitation au voyage dans les archives ordinaires et dans l'ordinaire de la recherche. Aussi, au détour d'une ligne, pointent des notations autobiographiques qui font partie intégrante de ma démarche.

Car si on les aimerait hétéroclites, toujours ouvrant sur de nouveaux terrains, ils déclinent en réalité une même question, suivent une identique obsession : écrire une histoire de l'infra-ordinaire.

Historien élevé par des historiennes foucaldiennes, nourri par leurs généreux travaux, l'analyse des microdispositifs de pouvoir a constitué mon apprentissage du métier ; produire une histoire sociale consistait alors pour moi à traquer dans les filets des archives les instants de subjectivation, à savoir lorsqu'un individu pris dans les mailles du pouvoir se débat avec lui en s'inventant autrement, en se produisant comme sujet. L'infime était alors mon échelle. Les années passant, s'impose à moi comme la nécessité de lire ensemble ces objets sous le terme «infra-ordinaire», cher à Georges Perec. Il faut sans doute y voir la volonté inavouée de s'approcher sur le plan historique de ce qu'Edward Hopper a réussi en peinture, de ce que la littérature a depuis trente années parfaitement réalisé, de ce qu'un Russell Banks a produit pour les petits Blancs de la Nouvelle-Angleterre, de ce qu'un W. G. Sebald a fait avec la Mitteleuropa…

Il y a sans doute aussi, et cela va de pair, l'ambition de rapprocher l'histoire de nos contemporains, d'opérer ce travail d'histoire du présent que Michel Foucault avait initié et appelé de ses vœux. Il faut entendre l'infra-ordinaire comme cet en-deçà de l'histoire que désignait l'auteur de *L'Ordre du discours*. C'est là une nécessité dans le contexte d'un fort recul de l'histoire devant le tout-mémoire. Proposer une histoire de l'infra-ordinaire qui soit aussi une histoire critique de ce qui est en train de se dérouler. Entendons-nous bien : il n'est pas ici question d'affirmer la toute-puissance des historiens ni à l'inverse d'accepter le diktat mémoriel et d'écrire une histoire sur mesure, mais précisément de rompre avec ces deux positions en proposant une approche qui fasse cas de notre présent, tout en conservant ses outils et ses règles scientifiques. Rêver n'est pas renoncer, bien au contraire.

Le présent volume se donne à lire comme un carnet où se succèdent quatre dossiers – objets, pratiques, lieux et traces – comme autant de tiroirs à tirer, de cartons à ouvrir, d'enveloppes à décacheter. Car c'est bien aussi de cette trouble émotion de celui qui cherche que ce livre rend compte.

AVERTISSEMENT

C'est sous le signe du rêve que ces pistes de recherches sont énoncées. Mais il ne faudrait pas pour autant en conclure qu'elles ne deviendront jamais réalité. Certains rêves que j'avais rédigés dans une première version ont ainsi disparu du présent volume, l'envie d'histoire trop forte ayant exigé d'engager un travail de recherches.

Quelques-uns, on ne manquera pas de s'en apercevoir, ne peuvent déboucher sur une enquête ; ils sont d'une certaine manière de mauvais rêves, peut-être même des cauchemars.

Il y a aussi tous ceux que j'ai refoulés, soit parce qu'ils étaient des rêves éveillés – la piste qu'ils ouvraient avait déjà été largement explorée –, soit parce qu'ils étaient trop inavouables.

Je dois enfin préciser, au cas où certains s'en inquiéteraient, qu'il n'est pas question ici de proposer une méthode ; il s'agit simplement de restituer et de partager une expérience.

Mais après tout, ces inquiets ont peut-être raison car n'est-ce pas aussi une invitation à se faire chacun rêveur d'histoire ?

objets

ROUTES

Trouvé, en Colombie, dans la bibliothèque du hall de l'hôtel Windsor à Bogotá en mai 2004, un livre publié à New York chez John Wiley & Sons en 1913, intitulé *A Text-Book On Roads and Pavement*. L'ouvrage, écrit par un certain Frederick P. Spalding, professeur de génie civil à l'université du Missouri, s'ouvrait par ces mots : « *The primary object of a road or street is to provide a way for travel, and the transportation of goods from one place to another.* »

Ces deux lignes de Spalding condensent toute une histoire qui commencerait avec la voie romaine et s'achèverait avec la *highway* américaine... On pourrait esquisser une histoire politique des routes à partir des techniques successives depuis l'Antiquité. Cette histoire ne pourrait être exhaustive, elle serait, si l'on peut dire, cavalière, se concentrerait sur quelques figures avec lesquelles on cheminerait.

L'histoire des sociétés européennes est étroitement liée à celle des routes. Que l'on songe un seul instant à l'importance de la route du sel, à celle de la soie ou encore au commerce triangulaire et à ses routes maritimes. Aujourd'hui les routes sont devenues «touristiques», «panoramiques», ou «gastronomiques» par opposition aux autoroutes qui bien qu'«Océane» ou «du soleil» traversent les pays sans joie. Et puis, avec les routes, on a produit toute une série de technologies des plus diverses : des feux servant à réguler la circulation, des bornes kilométriques, des panneaux de signalisation électronique…

Mais sans doute serait-il plus intéressant que cette histoire des routes soit celle de leurs obstacles : non pas l'histoire de ce qu'on a inventé pour améliorer leur fluidité, mais celle de tout ce qui, au contraire, par accident ou par volonté, empêche, barre, interdit, altère, neutralise ou limite leurs usages. Cette histoire-là compterait notamment parmi ses héros bien des brigands anonymes. Elle serait aussi celle des octrois, des checkpoints, des tempêtes, des congères, des barricades. S'y dessineraient non la vitesse mais le ralentissement, non l'efficacité mais l'inefficace, non la ligne droite mais le virage, le détour, la déviation.

La mythologie grecque concentre une série de récits de croisement. L'histoire d'Œdipe est magnifique sous cet angle. Son drame a pour origine un obstacle sur le chemin de Thèbes : Œdipe tue sans le savoir Laïos, son père, parce que celui-ci refuse de lui céder le passage. La route barrée par le père. Des années après, on le sait, ayant couché avec sa mère, Jocaste, il réalise quel crime il a commis et se crève les yeux. Il ne s'agit pas seulement pour Œdipe de ne plus voir, mais de buter à chaque pas, ce handicap ayant pour effet de faire de tout déplacement une épreuve, avec ses trous, ses pierres sur lesquelles on trébuche et qui provoquent la chute. Ainsi, le voilà condamné à être le perpétuel jouet des déviations.

S'il est une autre figure mythologique que l'on pourrait associer à cette histoire, c'est évidemment Ulysse. Son odyssée est une longue série de tempêtes et d'incidents qui l'amènent à vivre les épisodes que l'on connaît. La route est ici maritime, et sans doute est-ce sur la mer que cette importance des détours est paradoxalement la plus sensible. La surface plate et uniforme de l'eau peut à tout moment se transformer en un piège. Il n'est pas surprenant qu'Ulysse soit finalement rentré chez lui, à Ithaque, par la terre ferme. Le cinéma, un temps, a fait de ces déviations maritimes un genre avec ses films de corsaires. Mais c'est le western qui fut le plus fécond dans cette histoire des déviations.

Pour cette autre grande mythologie qu'est l'Ouest américain, la route est centrale… Pas de pionniers sans elle, pas de beatniks non plus. Nombre de westerns fonctionnent autour de cette quête du bon chemin. Pensons ici à la diligence, celle de *La Chevauchée fantastique* par exemple, avec son élégante et son joueur professionnel, son voyageur de commerce et son jeune militaire sorti de West Point qui fera appeler les tuniques bleues pour dégager la piste. Sur la plate-forme, elle a toujours son cocher expérimenté qui sait lire dans le paysage les possibles obstacles. Elle s'arrête dans les relais où une rencontre, un mot, un regard peuvent brutalement l'immobiliser. Quand elle reprend sa route, des bandits ne manquent pas de l'attaquer en plaçant une charge de dynamite, et la cavalerie, d'un coup de trompette, de les faire fuir. Bien sûr la diligence aura croisé sur son parcours des pionniers en déroute.

De la Grèce au Nevada, le détour a fait histoire et il n'a pas seulement dessiné un paysage, il a façonné nos sociétés. Sans doute l'invention de la navigation par GPS constitue, sur mer comme sur terre, un changement considérable : désormais, il n'est plus de barrage possible.

GUÉRISON

L'abbé Julio, dans son ouvrage *Prières merveilleuses pour la guérison de toutes les maladies physiques et morales,* publié en 1896, évoque en préface la figure du guérisseur et magnétiseur Jean Sempé, mort à Vincennes en janvier 1892 : «Chaque jour, écrit-il, de nombreuses visites de malades, des lettres de demandes encore plus nombreuses, affluaient dans son humble retraite...»

Envie de partir à la recherche de ces milliers de lettres, équivalent des archives du docteur Tissot pour le xviiie siècle et de Ménie Grégoire pour le xxe. Sans doute s'y tient-il les mêmes concentrés d'existence.

Le célèbre médecin suisse Tissot ne soignait pas seulement de visu, il avait pris l'habitude de faire des consultations par écrit. Ainsi, de toute l'Europe, il recevait les maux. Les patients lui envoyaient une description de leurs souffrances, indiquaient les remèdes et les traitements qu'on leur avait prescrits... Le docteur Tissot s'étant fait le spécialiste de l'onanisme et des moyens de l'éviter, ces lettres ont un étrange parfum de frustration.

Quant à Marie Laurentin, alias Ménie Grégoire, la célèbre animatrice de radio, elle reçut entre la fin des années 1960 et 1981, chaque jour, des dizaines de lettres envoyées par des auditrices de RTL. Dans la plupart d'entre elles, ces femmes livraient leurs peurs et leurs espoirs et lui demandaient de bien vouloir leur prodiguer un conseil, leur donner une solution et souvent leur indiquer une porte de sortie. Pour nombre de ces lettres, il n'y eut pas de réponse, et ces appels à l'aide sont restés dans leurs enveloppes. Mais l'important n'était-il pas pour ces femmes que leurs cris puissent sortir un instant de l'appartement, que leurs vies puissent s'évader du domicile conjugal ? Il n'est pas sûr qu'il en fut bien autrement des correspondants de Jean Sempé. N'ont-ils pas écrit d'abord pour coucher noir sur blanc leurs maux ?

Dans l'ouvrage de l'abbé Julio, je relève notamment une prière à dire pendant neuf jours à saint Antoine de Padoue pour trouver une personne ou retrouver un objet : « … Grand saint Antoine de Padoue, flambeau lumineux, je vous prie d'éclairer mon esprit, afin que je puisse trouver (N… ou tel objet) ; faites que je déjoue les ruses de Satan et que je sorte victorieux des pièges qu'il me tend pour me perdre et m'affliger… » Je me demande si véritablement les patients du guérisseur croyaient à une quelconque efficacité de ces mots contre leurs maux. N'était-ce que le désespoir qui animait leur démarche ? L'important n'était-il pas plutôt, pour beaucoup, d'être entendus ?

Dans ces demandes de guérison, il n'y a pas que de la souffrance, il y a les espoirs pour demain, une vision du futur sans la maladie. Cette histoire des espoirs et des vœux est si difficile à appréhender. Or, l'enjeu est de taille. Toucher ne serait-ce qu'un peu à cela, ce serait faire scintiller ensemble toutes les pièces de monnaie jetées par superstition dans les fontaines.

Il conviendrait de lire ces lettres en regard d'autres, celles écrites à la même époque au pouvoir. Le maire, le député, le préfet, le ministre et le Président sont aussi les destinataires de semblables requêtes ; on serait surpris de voir combien cette pratique est fréquente et nullement spécifique aux moments de crise. On écrit au pouvoir pour dénoncer son voisin, on écrit au pouvoir pour se plaindre et s'indigner, on écrit au pouvoir pour obtenir une aide personnelle.

Parce que les élus ne peuvent être insensibles à ces requêtes, ils en ont depuis le XIXe siècle organisé la gestion. Regarder comment se sont mis en place les services du courrier aux plus hauts sommets de l'État, dans les ministères, dans les préfectures et les mairies ; se plonger dans ces lettres et tenter d'y retrouver la densité d'existence que Michel Foucault et Arlette Farge avaient rencontrée en étudiant les lettres de cachet dans l'Ancien Régime, ces lettres au roi où un sujet demandait l'internement de son fils, de son épouse, d'un voisin. Lorsque la coupe est pleine, les persécutés ne sont pas les seuls à écrire. On se regroupe parfois et on rédige une pétition, ou bien on écrit plusieurs fois.

Le médecin, le voyant, l'animatrice et l'élu sont les destinataires de nos lettres noires.

En étudiant tous ces écrits envoyés comme des bouteilles

à la mer, on pourrait saisir un peu des rêves des hommes du siècle dernier ; car derrière la colère, la frustration et l'attente pointent des autoportraits qui disent plus que n'importe quel rapport de police.

RATAGES

Au bas de la forêt, dans la maison de famille, ont été conservées dans une jolie malle des centaines de plaques photographiques prises par un illustre ancêtre : souvenirs de l'apogée de l'histoire familiale. Ce sont voyages en Orient, images de convives sous les arbres en fleurs, portraits d'enfants et de parents dans la grande maison. Ils constituent le pendant visuel du volume de souvenirs que cet ancêtre a rédigé à l'intention de ses petits-enfants. Si le livre relié trône dans la bibliothèque, ces traces-là, aux plus proches seulement on les montre. Privilège du partage de ce qui n'est pas immédiatement visible, du maniement de ces reliques fragiles, d'une mémoire glorieuse, mais que la morale bourgeoise interdit d'exhiber. Ces plaques, on les regarde donc entre nous, elles sont notre précieux secret.

Sous les toits, il est d'autres images. Elles ont été sciemment placées à part dans une caisse. Chacune porte encore son enveloppe d'origine, avec à la main, d'une même écriture, la date, les conditions et le motif du cliché. Elles sont au nombre de deux cent soixante-huit. Ce sont des plaques types prises entre 1894 et 1901 par un photographe amateur, rangées en trois colonnes. À lire les indications manuscrites, cette collection est composée d'instants de vie familiale, de scènes champêtres, ou de paysages, et forme un tableau hétéroclite. Il n'est pas de séries, même si parfois quelques clichés se suivent : ici, quinze plaques de 1895 à la Machine, plus loin, une série de portraits d'un enfant ou un paysan occupé à labourer son champ. En somme, le contenu de cette caisse apparaît comme un ensemble de prises de vue sans queue ni tête. Toutes ces plaques avaient pour destin d'être jetées, quelqu'un les a conservées malgré tout. Il y a dans toute famille des conservateurs et des amoureux de la poubelle, et le plus souvent ces derniers l'emportent. Tel ne fut pas le cas pour la caisse du grenier.

La caisse du grenier raconte en creux une histoire, celle du raté. Cette histoire aurait comme sources aussi bien cette boîte de photographies ratées que les ratures présentes sur les manuscrits littéraires ou les livres de compte. La rature, qui apparaît avec le papier, devient avec Pétrarque une pratique littéraire. Pierre-Marc de Biasi et les commissaires de l'exposition « Brouillons d'écrivains » considèrent qu'« à partir de cette date, et jusqu'aux bouleversements récemment induits par les traitements de texte, l'histoire discrète mais capitale de la rature se confond avec celle de la création littéraire occidentale : une histoire où, de simple procédé d'amendement graphique des textes, la rature est devenue le symbole même du travail intellectuel et artistique de l'écrivain, tout en se dotant, dans les pratiques concrètes de l'écriture littéraire, d'un véritable arsenal de fonctions et de déterminations. Cinq siècles de traces manuscrites, particulièrement riches depuis la fin du XVIIIᵉ siècle, nous ont légué, disent ces chercheurs, un formidable terrain de recherche pour comprendre l'évolution de cette pratique, infiniment plus complexe qu'il n'y paraît à première vue».

L'histoire du raté ne pourrait se limiter à la dimension littéraire et au seul trébuchement de la plume. Il faudrait envisager également les ratés de la technique, les programmes lancés à grand fracas et qui ont déraillé. Lorsqu'on emprunte l'autoroute de Paris à Orléans, on aperçoit ainsi au milieu des champs les vestiges d'une rampe de béton qui devait dans les années 1960 porter un train sur coussin d'air… On met souvent en avant les réussites, mais il faudrait prendre en compte ici les fiascos propres à chaque époque. La politique est riche en exemples : les élections locales et nationales sont le théâtre d'espérances déçues, d'ambitions à jamais brisées.

Cette histoire prendrait aussi et surtout en compte les vies ratées. Pas celles dont le ratage fut éclatant, mais toutes ces existences qui ont échoué dans l'indifférence la plus totale, ne laissant le plus souvent que d'infimes traces. On travaille en effet habituellement sur les élus, ceux que l'institution a reconnus, en oubliant souvent que cette dernière exclut également, et parfois dans de grandes proportions. À Ellis Island, dans ce qui est apparu comme la porte d'entrée à la citoyenneté américaine pendant plus d'un demi-siècle, j'avais été ému à la lecture de la longue liste des noms des migrants, mais sans doute plus touché encore par tous ceux qui manquaient, les dix pour cent à qui, à l'issue de l'entretien et de la visite médicale, on refusait l'entrée sur le territoire, à ceux, donc, qui refaisaient le voyage en sens inverse, vers la misère ou les pogroms qu'ils avaient fuis.

Les archives des institutions, celles des petits séminaires en particulier, qui ont vu passer au XIXᵉ siècle tant d'âmes, seraient particulièrement précieuses dans cette histoire du raté. En examinant les parcours de vie de nombre de délinquants de la Belle Époque, on s'aperçoit que pour beaucoup de jeunes gens issus du monde rural, le séminaire a été une opportunité. Si quelques-uns sont devenus prêtres, beaucoup ont échoué dans cette entreprise et sont retournés à la ferme. D'autres n'ont pas supporté ce retour forcé et ont poussé leur destin non vers la sainteté, mais vers le crime.

Le raté s'énonce difficilement en société, et il disparaît avec le temps. La mémoire est sélective, dit-on, les pratiques d'archivage surtout, faudrait-il ajouter... Dans un dossier d'archives qu'avec un groupe d'historiens nous travaillons en constituant une sorte de cadavre exquis historique, sont rassemblés de nombreux discours. Le protagoniste du dossier, un certain Guillaume, dirigea en effet tout au long de sa carrière des agences bancaires. Au moins une fois par an, un employé partait à la retraite et Guillaume devait composer un discours en son honneur.

«Sa manière de vivre et ses sentiments ont de nombreux points communs avec mes principes, c'est donc une tradition qui continue et je suis certain que se continuera également le dévouement qui ne fut jamais marchandé. Dût la modestie de Monsieur L. en souffrir...»

Nécrologie d'un vivant, ce type de discours est une pratique courante de la biographie ordinaire. On aurait tort de penser qu'ils sont rédigés à la va-vite sur le coin d'une table. Ils font souvent l'objet de plusieurs réécritures. Il s'agit en effet de trouver le ton juste, ni blessant ni trop flatteur. Ils marquent avec le curriculum vitae les deux pôles d'une carrière professionnelle : demande d'entrée, avis de sortie. Ces écritures obligées suivent des modèles qui empruntent à la fois aux biographies des grands hommes et aux souvenirs de régiments. Prononcés avant l'ouverture des bouteilles, ces discours écrits disent beaucoup sur l'honneur et ses ratés. Il faudrait les étudier de manière systématique, analyser dans un grand nombre d'entre eux ce qui est mis en avant. Qu'est-ce qui, dans la vie d'un employé ordinaire, mérite d'être souligné par son biographe ? À quoi reconnaît-on une carrière exemplaire ? Que fait-on quand il a commis des erreurs ? Les ratés sont-ils privés de discours ?

Il conviendrait alors de comparer ces «derniers honneurs» à ceux rendus après la disparition accidentelle dans l'exercice de leur métier de pompiers ou de policiers et enfin à ceux des soldats morts pour la patrie. Leurs corps sont décorés de manière posthume. Rappelons aussi que dans la police, les prix, les tableaux de réussite et les récompenses sont légion. Ces institutions aux structures pyramidales fonctionnent sur et par de la distinction.

En joignant ces deux corpus, on disposerait d'un tableau assez complet de nos petits et grands hommes d'honneur qui pourrait éclairer une histoire du raté.

RÊVES D'HISTOIRE

« Homme de devoir dans sa profession, homme de devoir dans la défense de sa patrie attaquée, Émile B. appartient à la pléiade des héros qui ne veulent pas qu'on les pleure ! En pensant à eux, nous ne pouvons, hélas ! que méditer silencieusement sur leur destinée en laissant libre cours à notre admiration et à notre émotion ! »

IMPOSTURES

Au cours de l'hiver 2004, je reçois dans ma boîte électronique plusieurs fois par semaine des messages envoyés d'Afrique. Cela me change de mes éternels spams de vente de Viagra, de faux diplômes ou encore de montres de luxe. Ces messages, en français ou en anglais, me proposent de gagner de fortes sommes d'argent en acceptant d'héberger sur mon compte un virement bancaire. La maladresse du procédé n'a d'égal que le caractère dramatique des situations décrites pour sensibiliser le destinataire. Je suis à la fois agacé par ces sollicitations d'escrocs – elles sentent l'arnaque à plein nez –, et impressionné par les efforts que leurs auteurs déploient pour toucher ma corde sensible. En effet, chacune de ces missives décline sur un mode différent un même récit de vie : la mort d'un riche parent, la découverte d'une forte somme en héritage et des conditions politiques qui ne permettent pas de récupérer cet argent sans l'aide d'un tiers. Et ce tiers, c'est moi. Il peut arriver que seuls les noms et les lieux changent, mais le plus souvent, ces lettres sont pleines d'infimes variations par rapport à un modèle que je ne connais pas.

Je décide de collectionner sur un fichier ces drôles de billets en notant précisément la date de leur réception. Je constitue pour une étude future un petit recueil de ces fausses auto-biographies / véritables escroqueries que l'Internet produit.

Ex : lettre reçue le 15 décembre 2004 (harrisong2003@jumpy.it)
A VOTRE AIMABLE ATTENTION
FAMILLE HARRISON
RUE, 5 BVD DES JARDINS.
COMMUNE DE YOPOUGON
ABIDJAN COTE-D'IVOIRE.

Avec l'aide de Dieu,
Je viens respectueusement auprès de votre aimable personne par ce message vous faire une proposition de partenariat. Mais de prime d'abord, je me présente. Je suis M. HARRISON GODWIN JEAN, originaire de la République Démocratique du Congo (RDC) et fils aîné de feu HARRISON JEAN, Conseiller en armements et stratégies militaires du chef du mouvement rebelle qui contrôlait le Goma une grande partie de mon pays près du Rwanda.

Il y a un peu quelques mois, feu mon père était encore en vie et il a été accusé avec un groupe de hauts responsables de leur mouvement de rébellion qui est le RDC – Goma, de tentative d'insurrection par leur chef et 200 personnes dont mon père ont été massacrés. Le chef rebelle au mépris de toutes les règles internationales a accusé aussi les deux représentants de l'ONU d'avoir été d'intelligence avec ceux qui ont été accusés de tentative d'insurrection et les a expulsé de Goma. Avant l'assassinat de mon père, en sa qualité de conseiller spécial en armements et straté-gies militaires du mouvement, il avait reçu de leur chef 25 000 000 de dollars US pour importer des armes sophistiquées pour les combattants. Depuis l'assassinat du chef rebelle JONAS SAWINBI en Angola, le chef de mon père pensa assurer ses arrières en lui remettant régulièrement de fortes sommes d'argent liquide pour la dotation de la rébellion en armes de pointe afin qu'elle survive au cas où il venait à être assassiné soudainement. Par la grâce de Dieu, mon père n'avait acheté qu'une partie insignifiante des armes nécessaires à hauteur d'environ 20 000 000 de dollars US et il avait convaincu son chef que la plus grande quantité devrait suivre. Et c'est certainement pour son attentisme que son chef a déduit qu'il était l'un des initiateurs de la tentative d'insurrection qui a abouti à son assassinat. La région où nous vivions n'étant pas loin du Rwanda, feu mon père avait pris le soin de faire le dépôt de la somme de 7.000 000 de dollars US en Côte d'ivoire dans une banque de la ville d'Abidjan.

Aussi, dès que la nouvelle de son assassinat et de mon épouse (paix à leurs âmes) nous est parvenue, j'ai fui la RDC avec ma chère et aimable mère et par la grâce de Dieu nous avons récupéré les papiers qui certifient le dépôt de ces fonds dans cette banque, nous avons trouvé refuge à Abidjan la Capitale économique de la Côte d'Ivoire en Afrique de l'Ouest depuis quelques mois.

A présent, nous souhaitons transférer cet argent dans votre pays pour y investir sous vos sages conseils dans les secteurs d'investissement bien productifs. Nous voulons que vous soyez la personne devant bénéficiée de ce transfert de ces fonds et notre partenaire en investissement et souhaitons que vous prospectez et découvrez les domaines dans lesquels nous pouvons investir et fructifier notre argent.

Nous vous proposons 20% de commission si vous nous aidez à

transférer cet argent dans votre pays et organiser par la suite notre voyage dans votre pays pour notre installation définitive et épanouissement total. Pour nous montrer votre intérêt pour cette proposition, nous souhaitons connaître votre nom et prénom complet, votre contact téléphonique direct, votre numéro de fax et si possible le numéro de votre mobile afin que nous puissions vous donner de plus amples informations et mettre à votre connaissance ces documents qui attestent le dépôt de ces fonds dans cette banque. Pour terminer, nous vous rappelons que ma chère mère bien souffrante et moi sommes des personnes qui vivent actuellement dans la grande peur et le désespoir total suite aux événements socio-politiques qui secouent la Côte d'ivoire depuis le 19 septembre 2002 ainsi à ce juste titre vous nous serez d'un grand secours humanitaire en procédant le plus rapidement possible aux démarches de transfert et notre voyage dans votre pays . Pour plus de sécurité, nous vous prions de ne pas ébruiter les informations que nous vous livrons.

Que Dieu vous bénisse !

Cordialement,

                        Mr Harrison, pour la famille Godwin

Pour écrire cette histoire-là, il faudrait aussi enquêter sur les autobiographies des candidats au statut de réfugié politique. Pour constituer un dossier de demandeur d'asile, il faut en effet rédiger un récit relatant les causes de cette demande auprès de l'Office français de protection des réfugiés et apatrides (OFPRA). Bon nombre de ces récits de vie épousent un modèle, celui de l'autobiographie de l'opposant. Pour chaque pays, un type de parcours est repris et fait l'objet d'un commerce à Paris, porte de la Chapelle. Pour obtenir ce statut, il faut en effet prouver que l'on est victime de persécutions dans son propre pays. Aussi est-il nécessaire d'avoir subi une série d'épreuves. Les rédacteurs de ces récits connaissent les grilles de lecture des officiers de l'OFPRA et par conséquent construisent des autobiographies noires. Analyser ces textes, en comprendre non seulement la logique, mais l'imaginaire qui le rend possible, pourrait être une piste d'études complémentaires.

On pourrait aussi prendre au sérieux des discours qui ne le sont pas, considérer l'escroquerie comme une source tout aussi valable qu'un article de presse pour penser le social. L'affaire Thérèse Humbert qui défraya la chronique sous la IIIᵉ République est, comme l'a montré la biographe américaine de Matisse, Hilary Spurling, passionnante dans cette perspective. Chez elle, avenue de la Grande-Armée, défilèrent politiques et journalistes en vue, ainsi que tout le monde des arts et de la culture de la Belle Époque, de Zola à Proust sans oublier la grande Sarah Bernhardt. Elle portait le même prénom que celle dont le culte commençait à battre son plein à Lisieux, mais cette Thérèse-là n'avait pas vu la Vierge et n'était pas une sainte, loin s'en faut. Elle avait seulement cru qu'elle pourrait sortir de sa condition de femme du peuple. L'histoire de Thérèse Daurignac, dont Hilary Spurling fait le récit dans un petit livre vif et drôle, est pourtant aussi celle d'une géniale escroquerie, celle-ci nullement spirituelle, mais bien financière. La petite Thérèse, modeste paysanne du Languedoc, parvint à la seule force de son imagination et de sa capacité de persuasion à bâtir l'une des fortunes les plus importantes de la IIIe République. En bluffant les créanciers sur ses garanties, en laissant croire qu'elle était l'héritière de propriétés en Espagne, en épousant l'un des fils d'un des fondateurs constitutionnels de la jeune République, Gustave Humbert, et, usant de ses réseaux politiques, Thérèse réussit en deux décennies à mettre la France à ses pieds et à se construire un patrimoine financier et nobiliaire considérable. Lorsque le scandale éclata, que l'on ne parvint plus à faire taire les plaintes des créanciers petits et grands, que l'on découvrit avec horreur que le coffre-fort de Thérèse Humbert ne renfermait guère qu'un bouton de guêtre, que le clan Humbert avait usé de tous les moyens pour arriver à ses fins – la violence comprise –, que l'affaire allait éclabousser toute la gauche républicaine, Thérèse fut considérée comme l'unique responsable de cette gigantesque escroquerie. Pourtant, Hilary Spurling montre qu'en réalité on ne sut véritablement qui avait manipulé qui : l'irrésistible ascension de la petite paysanne jusqu'aux beaux quartiers de l'Ouest parisien ne semble pas avoir reposé sur le grand charme et la capacité de persuasion de ce brin de femme, mais bien sur une partie de la classe politique d'alors – étrange résonance de cette affaire au regard de notre actualité judiciaire contemporaine, et de l'affaire Elf en particulier.

Redoutant que l'affaire Humbert ne fît à la gauche et à l'administration publique ce que l'affaire Dreyfus avait fait à la droite, on chargea la barque, on se vengea, industriels et banquiers vinrent vilipender Thérèse sans que personne prenne sa défense. Condamnée à cinq années de travaux forcés, elle fut libérée en 1908 et disparut. Thérèse sortit de l'Histoire pour ne plus jamais y revenir.

L'escroc est souvent un imposteur. Or, l'histoire de l'imposture reste aussi à écrire. Elle est le complément indispensable à une histoire de l'identification et pourtant personne ne s'y est attelé. Elle a ses grands hommes, comme Jean-Claude Romand que la littérature puis le cinéma ont rendu célèbre. J.-C. Romand se faisait passer pour un médecin de l'OMS à Genève, réussissant à bluffer tout le monde jusqu'à ce que son secret devienne trop lourd à porter et qu'il finisse par assassiner les siens. À partir de quel moment et suivant quelles modalités des individus ont cherché à se faire passer pour d'autres? Autrement dit, quand et comment le désir d'être un autre est-il devenu si important pour que certaines personnes aient voulu prendre, par-delà la loi, l'identité d'un autre individu? Quelles lois ont été mises en place pour empêcher l'imposture?

Il est des situations de crises – les guerres notamment – pendant lesquelles ces jeux d'identité sont plus fréquents. Les déserteurs s'approprient souvent l'identité des morts. D'autres contextes l'encouragent, comme l'éloignement. Dans le roman de William Irish, la Sirène du Mississippi est celle qui se fait passer pour l'épouse rencontrée par petite annonce. À l'écran, Catherine Deneuve incarne cette figure diabolique descendant du bateau à La Réunion.

Mais le champ le plus intéressant semble bien être celui de la sphère religieuse, et notamment des miracles. Il ne s'agit pas d'être un autre, mais d'être devenu autre, d'avoir changé… Au milieu des années 1920, une affaire de ce type défraya la chronique. Une jeune femme de faible constitution, quasi infirme, revint miraculée du pèlerinage de Lourdes. Elle fut accueillie à son retour comme une héroïne par les habitants de sa petite ville de province. Sa popularité ne fut que de courte durée et, quelques semaines après son retour, elle reçut par la poste une série de lettres anonymes salissant sa réputation. Une enquête est ouverte : on cherche à démasquer l'indélicat correspondant, mais en vain. Un soir, se trouvant seule, Marthe est même victime d'une agression… L'enquête s'accélère : on découvre dans la chambre de Marthe le papier et les ustensiles ayant servi aux lettres anonymes. La jeune femme ne supportant pas de n'être plus sous les feux de l'actualité avait voulu faire parler d'elle en retrouvant son statut de victime.

Cet épisode témoigne de la complexité de l'imposture et de la nécessité de l'appréhender dans un faisceau d'identités. Ainsi, l'usage détourné de pratiques – telles que l'écriture – est particulièrement intéressant à suivre : il agrège l'imposteur à une réalité sociale. Assurément, le mail de Mr Harrison porte avec lui un imposant fichier attaché.

POCHES

Sur les mains courantes des commissariats de police parisiens sont inscrits tous les faits observés par les agents, ainsi qu'un résumé des dépositions faites chaque jour par des témoins. Ces volumes, pour le XIXᵉ siècle, sont conservés à la préfecture de police de Paris, mais toutes les mains courantes antérieures à 1871 ont été détruites lors de la Commune. Ces grands registres constituent des petits trésors de l'ordinaire soigneusement consignés par les policiers de terrain. On se retrouve ainsi comme dans le film de Raymond Depardon montrant le travail des policiers du commissariat du Vᵉ arrondissement, là où précisément sont rangés ces volumes. À un siècle de distance, c'est ce même ordinaire qui transparaît sous la plume des fonctionnaires de terrain. Car si une fois la semaine c'est un suicide qu'on y relève, la plupart du temps, ce sont d'infimes événements dont les policiers rendent compte : incidents, larcins, disputes... les rubriques sont variées. Il en est une en particulier qui me semble fascinante par l'histoire qu'elle dessine : celle des objets trouvés.

Cette histoire n'est pas qu'anecdotique, elle révèle le contenu des poches des gens : les documents, les petits objets que chacun conserve sur lui. À la différence d'autres sources, comme par exemple, les inventaires des objets des noyés étudiés, pour le XVIIIe siècle, par Arlette Farge, ces registres incorporent non l'extraordinaire de la mort mais l'ordinaire de la vie.

Avec beaucoup de zèle, les agents ramassent lors de leurs rondes une volumineuse quantité d'objets. Parfois ce sont les riverains qui se déplacent pour signaler un objet trouvé, constituant ainsi la rue en un espace public. Pour décrire l'objet, les policiers déploient tout un vocabulaire des choses ordinaires ; ils en font une description exhaustive, semblable à celle des individus à arrêter. Pourtant, il est un objet qui échappe à cette mise en mots, c'est le « papier sans valeur ». Décrire l'écrit n'est pas chose aisée. L'entreprise est d'autant plus difficile pour ces policiers de la fin du XIXe siècle que les formes d'écrit se diversifient et se multiplient. Une lettre est-elle un objet ou un discours ? De la réponse découlent deux descriptions différentes de l'écrit. En en faisant un objet, comme on ferait d'un bijou, on en neutralise la force, on le coupe de la réalité sociale d'où il est extrait. Si, au contraire, l'agent se met à le lire et en donne une sorte de transcription, il en reconnaît la valeur, il l'élève à une dimension supérieure.

Dans la main courante d'un des quartiers du XIIIe arrondissement, cette oscillation est saisissante. On voit encore combien, à ce moment-là, l'écrit demeure un privilège des dominants, situation sans doute souhaitée par les gouvernants. Mais ces papiers perdus disent l'annonce d'un renversement, la fin du pouvoir d'écriture.

4952/Main courante du quartier Salpêtrière Croulebarbe

172 – Objet trouvé, 7 août 1895
Santoire Justine 23 ans Journalière, 19 rue Harvey
«Un calepin de toile cirée renfermant un bulletin de naissance au nom de Lelièvre et divers papiers sans valeur, trouvé ce jour rue du champ de manœuvre.»

333 – Papiers trouvés dans la Bièvre, 13 septembre 1895
«A 6 h du matin, Bouvier (Léon, 40 ans) trouve dans la Bièvre à l'endroit où elle sort du passage couvert derrière la manufacture une serviette contenant 3 livrets de Caisse d'Epargne, livret militaire et de mariage, factures, créances, billets, etc. partie au nom de Le Fils, partie au nom de Vve Cloiseau. Papier restitué. Victime de vol.»

341 – Objet trouvé, 25-26 septembre 1895
«Un livret d'ouvrier apprenti au nom de Pouillat Victor et divers papiers sans valeur trouvés à midi 15 dans le passage des Gobelins (Cité).»

461 – Objet trouvé, 9 novembre 1895
«Un calepin renfermant divers papier sans valeur, au nom de Charpentier, trouvé ce 9 courant, Avenue des Gobelins 31.»

518 – Objet trouvé, 3 décembre 1895
«Deux feuilles et une lettre signée Nicol du Finistère, adressées au Magasin du Bon Marché» par Honzié Armande 11 ans dt 8, rue Campo Formio.»

609 – Objet trouvé, 6/8 janvier 1896
«Un livret de nourrice sur lieu au nom de Chevalier (Pauline) trouvé 6 courant Avenue des Gobelins.»

643 – Objet trouvé, 17 janvier 1896
«Le 17 courant à 9 h 30 matin un livret d'ouvrier en mauvais état contenant des papiers (chansons, certificats de travail, recipicé de livret militaire).»

1168 – Objet trouvé, 19 juin 1896
«Le 19 juin, à 7 h 20 du soir Rousset a trouvé Place d'Italie à l'angle de l'Avenue des Gobelins un porte-monnaie en cuir noir, contenant 1 pièce de 1 fr, une bague en métal jaune, un trousseau de 2 clés, un petit baigneur en faïence et un petit papier sur lequel est écrit des verres (vers) et sign "Henri" et un petit morceau de dentelle.»

1412 – Main de femme. Pièce anatomique, 8 septembre 1896
« Vers 9 heures quinze du soir une boîte rouillée en fer blanc de forme rectangulaire et contenant une main de femme (désséchée). Cette boîte contenait en autres 3 lettres et a été trouvée sur la voie publique rue Broca en face du n° 89 par le gardien de la paix Rayonnet. »

53 – Objet trouvé, 1ᵉʳ octobre 1896
« Un carnet de cuir vert grenat sur la couverture duquel se trouvent les initiales PV, entrelacées et contenant divers papiers sans valeurs au nom de Pierre Vauchey qui a été trouvé par Farelicq (Alphonse) le 25 courant avenue des Gobelins. »

1133 – Objet trouvé, 1ᵉʳ décembre 1897
« Un calepin en toile ciré noire renfermant une petite photographie, des cartes et lettres sans valeur trouvé le 1ᵉʳ Place d'Italie à 6 h 10 du soir. »

224 – Objet trouvé, 16 mars 1898
« Un carnet de note trouvé le 16 courant à 9h du matin, bd Arago, par une personne qui a refusé de se faire connaître. »

1092 – Objet trouvé, 6 décembre 1898
« Une lettre portant adresse en russe trouvé le 5 courant à 1 heure de l'après midi Bd Arago en face le n° 12 par la Vve Breton dt 12 bd Arago. »

Dans la cage d'escalier de mon immeuble dans le XIIIᵉ arrondissement de Paris, un(e) habitant(e) a pris l'habitude au début de l'année 2005 de semer entre le deuxième étage et la rue ses petits papiers : tickets de caisse, tickets de retraits bancaires, billets de métro, mais aussi mégots, paquets de cigarettes vides, cartes de restaurants…

24 pièces au 1ᵉʳ mars 2005 soit :
5 relevés bancaires
3 justificatifs d'achat de billets RATP
1 paquet de cigarettes vide Marlboro
1 photo d'identité d'une jeune femme

I carte téléphonique internationale
I réduction pour l'achat d'un hamburger Charal
I place aux Folies-Bergère
I carte d'un restaurant bd de l'Hôpital avec au dos numéro de portable manuscrit
I ticket de caisse Délice rôtis
3 tickets de caisse ED
I ticket de caisse Franprix
5 tickets de caisse Champion

D'abord irrité par cette curieuse pratique, j'ai ensuite été fasciné par son systématisme et bien évidemment tenté de découvrir quel était cet habitant bien peu respectueux des parties communes. On a vite fait de se glisser dans la peau du policier et de chercher un coupable. Mais plutôt que de dresser le portrait de papier de cet anonyme voisin, j'ai été davantage excité par l'idée de composer à partir de ces pièces son emploi du temps ; en somme d'entrer dans sa vie. Ces papiers trouvés m'y invitaient.

Aujourd'hui, tous nos papiers parlent plus que nous ne le souhaitons : on oublie souvent qu'ils informent du lieu, du jour, de l'heure de leur émission. Bien plus performants et rigoureux sont ces dispositifs d'enregistrement graphique que les caméras de vidéosurveillance qu'on pointe souvent du doigt. Ces petits papiers ne sont que la partie visible des immenses archives de l'infra-ordinaire qui comprennent aussi bien les puces des téléphones portables et les disques durs des ordinateurs. Dans cette histoire, l'arrestation du jeune Khaled Kelkal après les attentats de 1995 dans la banlieue lyonnaise et l'usage que les policiers firent de la mémoire de son téléphone portable – ils identifièrent tous ses complices – sont des actes fondateurs. Dans le domaine de la fiction, la série *24 heures chrono* et son personnage Jack Bauer sont inconcevables sans ces archives mobiles. Le principe narratif – faire un récit en temps réel (soit vingt-quatre fois soixante minutes) – en est la métaphore, toujours inscrite à l'écran.

Devant cette figure de Petit Poucet du ticket, j'ai donc, avec le même zèle que cet individu, collecté à chacun de mes passages dans la cage d'escalier ces petits riens pour constituer ce que certains nomment un dossier de « traçabilité » et que Gilles Deleuze percevait comme un symptôme de la société de contrôle. J'ai à mon tour inscrit au dos et au crayon noir le jour de la collecte. Je me suis fait agent de police de l'écrit.

Faire non l'histoire du contrôle mais son expérience serait peut-être un autre moyen d'appréhender ces écrits perdus.

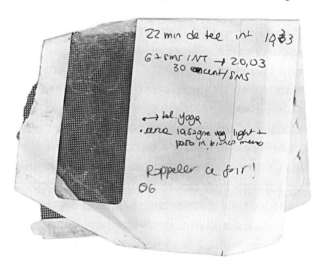

CLOISON

Les historiens de l'habitat soulignent que la construction de l'intime a été étroitement liée à la séparation et à la division des espaces domestiques. Ainsi, la généralisation de la chambre à coucher conjugale est un moment important de la naissance de l'intimité dans nos sociétés, au même titre que le développement des salles de bains. Il faudrait, en suivant cette perspective, écrire l'histoire de la cloison. La cloison se situe entre le mur et le paravent. Elle n'a ni l'épaisseur du premier, ni la fragilité du second. Elle est un objet qu'on ne pense pas.

Les cloisons n'ont pourtant pas toutes la même physionomie. Certaines, comme les treilles dans les jardins, sont ajourées, d'autres, comme celles que l'on trouve dans certains bureaux, sont complètement transparentes. Elles ne sont pas toujours faites de plâtre ou de brique : elles peuvent être formées par un drap, comme dans la 4ᵉ classe des navires transatlantiques d'*America America* d'Elia Kazan ; dans de nombreux logements, alors qu'elles devaient séparer, elles forment une zone de contact, où l'on va planter des clous, percer des trous, mais aussi taper ou tendre l'oreille. Elles peuvent aussi devenir des zones de conflits.

Ce mur qui n'isole pas a nourri tout un rapport des hommes entre eux : des enfants aux parents, des voisins aux voisins, des employés aux autres employés... La cloison éprouve les relations de promiscuité. Elle est à la fois ce qui permet l'intimité et ce qui génère le voyeurisme – je songe ici à la photo d'Henri Cartier-Bresson, de ces hommes regardant dans les trous d'une palissade.

La palissade est en effet une version publique de la cloison. Le photographe polonais Eustache Kossakowski, dans les années 1970, en avait fait son sujet privilégié, imposant son aspect bicolore au paysage de la ville. Sur les palissades, on a beaucoup écrit, comme si le bois invitait davantage à l'écriture que la pierre – pensons aux palissades du Palais-Royal pendant les travaux des colonnes de Buren, recouvertes d'injures et de mots contre l'art contemporain, comme l'a étudié Nathalie Heinich. Il est vrai qu'on aime écrire sur les arbres, mais ce sont d'ordinaire des mots d'amour. La palissade n'est pas seulement support, c'est aussi elle qui délimite le terrain vague. Elle n'a pas la mobilité de la barrière ou du ruban jaune «*Dot not cross*». Elle a pour vocation de disparaître et, surtout, d'être enjambée.

Il faudrait, je crois, écrire cette histoire de la cloison mais dans une perspective qui mêlerait l'histoire des matériaux et celle des «grands ensembles». On tenterait de lire en un même mouvement les dispositifs intérieurs et extérieurs de séparation : aussi bien à la poste, dans les appartements, que dans la rue et les jardins. On verrait sans doute que la figure mythologique du labyrinthe est beaucoup plus présente dans l'urbanisme contemporain. Séparer plus que réunir.

Cette enquête serait sans limites; aussi faudrait-il aller dans les lieux de culte, voir comment, dans les mosquées et les synagogues, des cloisons séparent les sexes – repérer aussi tous les petits arrangements avec ces séparations. Chez les catholiques, le confessionnal fait partie de ces meubles-cloisons, mais il est en voie de disparition. La pratique de la confession étant en net recul en France, il est de plus en plus rare dans nos églises et remisé le plus souvent au fond d'un presbytère.

Or, depuis deux siècles, ce mobilier religieux a fait l'objet de nombreuses variations. Il y en a de toutes les formes, de toutes les matières aussi, même si le bois domine. Le dispositif est toujours le même – une cabine pour le confesseur, une marche pour le confessé –, la cloison qui les sépare est plus ou moins opaque. Dans certains cas, il existe une ouverture entre les deux qui permet un contact. L'intérêt du confessionnal ne tient pas qu'à sa variété. Il est comme les miroirs, porteur d'une mémoire extraordinaire : celle des chuchotements de millions de paroissiens.

Il conviendrait de faire l'inventaire des confessionnaux parisiens. On photographierait chacun d'entre eux selon un même procédé, à la manière de ce couple de photographes de Düsseldorf, Bernd et Hilla Becher, qui ont archivé tous les bâtiments industriels. On mènerait, parallèlement à ce travail, des entretiens avec les usagers : on leur demanderait exactement comme on le fait pour des usagers d'autres services, le métro ou la poste par exemple, leur avis sur le confort du confessionnal, leurs impressions et leurs souvenirs.

Ces photographies mises en série donneraient à voir dans un immense silence tous les péchés de nos ancêtres. La plus parlante des cloisons.

Les confessionnaux ne sont pas les seuls à être en danger. Les interphones sont de plus en plus souvent remplacés dans les immeubles parisiens par des visiophones. Or, l'interphone participe d'une série de dispositifs spécifiques de parole particulièrement intéressants à étudier et qui me semblent appartenir à l'âge du disciplinaire. Cet ensemble compte aussi l'Hygiaphone, le téléphone…

Mais, surtout, il doit être mis en relation avec tous les lieux de parole institutionnalisés dans nos sociétés à partir de la fin du XVIIIe siècle. Ils sont légion et ont rarement été étudiés ensemble. Il faudrait ainsi analyser en parallèle le parloir, le comptoir, le divan… Quel modèle a présidé au développement de ces lieux de parole ? Dans les couvents et monastères, institutions silencieuses par excellence, une salle particulière a pour fonction d'accueillir les échanges langagiers ; à l'exception de ce lieu, tous les autres espaces sont réservés au silence, seulement rompu par la prière, le chant et la lecture. Aux différentes pratiques de langage – parler, chanter, lire – ont été assignées des pièces auxquelles l'architecture, mais aussi le mobilier répondent.

Les parloirs des institutions totales sont d'une autre nature. Ils constituent un lieu de contact avec l'extérieur ; on inclut le visiteur, mais celui-ci reste derrière une paroi à travers laquelle il parlera à l'interné. Le lieu a ici pour fonction de souligner qu'il y a un dehors et un dedans, un visiteur et un interné, que communiquer ne peut se faire sans la présence d'un tiers, le surveillant.

Aussi, ces lieux sont souvent l'objet de bricolages visant à libérer la parole ; ces arrangements vont du chuchotement au cryptage. Bref, les internés inventent toute une gamme d'outils pour se réapproprier la parole. Il arrive aussi qu'ils détournent sa fonction. Dans les parloirs des prisons, les corps se frôlent, la sexualité pointe. Pudiquement, on se met à évoquer la possibilité de généraliser les «parloirs intimes», comme si le lit, l'oreiller allaient générer une autre parole.

Dans les internats, le lieu de parole est souvent le parc. Des bancs ont été disposés à cet effet. Les parents encadrent l'enfant, chacun regarde devant soi, récitant une parole convenue.

Les guichets font partie de cette même catégorie. Du guichet de la bouchère à celui du postier ou de la préfecture de police, leur efficacité est variable. Certains empêchent la parole plutôt qu'ils ne l'encouragent. Ils en limitent l'usage au minimum. Le reste se dit par le regard, la gestuelle agressive.

Il faudrait essayer d'analyser ces résistances à la parole obligée et les tentations de libération des espaces dévolus. Sans doute faudrait-il alors ajouter aux parloirs, comptoirs et autres confessionnaux, les espaces de forum politique – de la salle de la Mutualité à l'hémicycle du Palais-Bourbon –, et l'on verrait apparaître toute une géographie de la parole dans nos sociétés.

GRAVURE

Parmi les objets dont j'ai hérité à la mort de ma grand-mère aveyronnaise, il est une gravure du milieu du XIXᵉ siècle représentant un jeune garçon entre deux gendarmes. Cette image a longtemps été accrochée face à mon bureau, de sorte que lorsque je travaillais à l'établissement des récits autobiographiques de criminels, à chaque fois que je levais les yeux, ceux-ci se posaient sur *Le Jeune Homme aux gendarmes*.

On pourrait s'interroger sur la présence d'une telle image dans les collections d'une famille d'industriels de Millau. Ces scènes judiciaro-policières faisaient-elles alors l'objet de nombreuses représentations décoratives? Si ce n'était pas le cas, quelle fonction cette gravure avait-elle? Très proche par son style des images plus tardives ornant les couvertures des suppléments illustrés du *Petit Journal*, par exemple, ce jeune homme aux gendarmes en constituait-il une version bourgeoise? Quels étaient les artistes auteurs de telles œuvres? Qui pouvait bien avoir envie de mettre dans son salon une scène aussi brutale que celle-ci?

Certes, l'Occident a un goût pour les supplices, à

commencer par la crucifixion, mais j'ai toujours trouvé étrange de voir dans un musée d'art contemporain les photographies, aussi belles soient-elles, des prisons. Imagine-t-on au Centre Pompidou une exposition composée de photographies d'exécutions capitales ? Des pendus et des décapités pour satisfaire notre esthétique « postmoderne » ? Pourquoi en irait-il autrement des prisons, notre « guillotine sèche » ? L'artiste redoublant le carcéral en donnant de l'écho à l'effroi ; le musée des Prisons expose ainsi en septembre 2006, un ensemble de photographies de Pierrette Nivet, intitulé « La prison du XXIe siècle en France : l'exemple du centre pénitentiaire de Meaux-Chauconin en Seine-et-Marne ». De même avais-je été pétrifié en découvrant par hasard dans la gigantesque librairie new-yorkaise Strand un élégant ouvrage composé de planches photographiques de lynchages de Noirs dans les États du Sud. Redoublement du supplice par la photographie, acceptation plus que dénonciation, esthétisation après coup... Et soudain en tête la voix de Billie Holiday chantant *Strange Fruit* :

> *Southern trees bear strange fruit*
> *Blood on the leaves and blood at the root*
> *Black body swinging in the Southern breeze*
> *Strange fruit hanging from the poplar trees*

La gravure du jeune garçon oblige surtout à penser l'histoire du rapport du monde de l'art à celui du judiciaire. On a à ce jour peu travaillé sur les artistes qui prêtaient leur talent aux services de police judiciaire ou aux médecins légistes, préférant étudier les représentations de la justice dans la caricature et le dessin de presse. Au XIXᵉ siècle, nombre de bustes de délinquants et de peintures de crimes ont été produits. Mais par qui? Pour quelle somme d'argent? Avec quels cahiers des charges? Autrement dit, il faudrait examiner, à la manière dont certains le firent pour la photographie, les relations des beaux-arts à l'enquête policière. À n'en pas douter, on verrait comment les peintres et les sculpteurs constituèrent un temps de formidables auxiliaires «de police».

Ainsi, lorsqu'un cadavre était découvert, le premier rapport constatant la mort et engageant une enquête était accompagné de croquis. Les médecins faisaient dessiner les victimes et leurs blessures. Dans l'affaire Joseph Vacher, le tueur de bergers qu'incarna à l'écran Michel Galabru, le médecin Lacassagne, expert auprès des tribunaux, travailla à partir d'une série de planches de dessins. Michel Porret a étudié avec soin les véritables tableaux peints produits avant l'invention et l'usage de la photographie criminelle : la «topographie judiciaire», notamment à Genève, qui apporta aux juges d'instruction des éléments matériels objectifs tirés de la scène du crime, a constitué un moment bref mais particulièrement intense de cet art pictural d'un genre nouveau.

Non pas le crime comme œuvre d'art, mais le crime – en devenant crime – générant des œuvres d'art par la mobilisation du regard de l'artiste à des fins inédites, un acte est constitué en crime. Sans doute cette présence artistique a-t-elle contribué à construire une représentation esthétique de la violence criminelle. Je songe ici à ce tableau si dérangeant qu'est le *Marat assassiné* de David. Marat, dans sa baignoire ensanglantée, a servi de modèle pour la préhistoire de ce mouvement.

À l'autre pôle se trouvent le cinéma et le docteur Mabuse de Fritz Lang.

Mais que sait-on de ce qu'il s'est passé entre ces deux pôles ? Pour y répondre, on pourrait suivre les perspectives ouvertes par les études sur les monuments aux morts de la Grande Guerre. En effet, nombre d'artistes locaux ont été sollicités pour prêter leur talent à l'édification de ces monuments ; et certains ont ainsi eu une gloire inattendue. Jamais, je crois, l'art contemporain n'a été à ce point présent. Rien de tel pour renouveler les imaginaires. Il n'est pas anodin, d'ailleurs, que, parmi les interventions réussies d'artistes dans l'espace public ces dernières années, il y ait *Le Monument vivant de Biron* de Jochen Gerz, qui consistait en un remplacement d'un monument aux morts. Gerz a édifié avec les propos des habitants du village une stèle contre la guerre.

En médecine, on fit appel tout au long du XIXe siècle à des étudiants des Beaux-Arts pour réaliser des moulages anatomiques. L'exposition «L'Âme et le Corps», il y a quelques années au Grand Palais, montrait l'importance des liens entre art et médecine, des écorchés aux fameuses planches photographiques de Guillaume Duchenne de Boulogne sur les émotions du visage. Mais qu'est-ce qui pouvait motiver un artiste à travailler avec la police ? Un même amour du détail ? C'est en tout cas une curieuse esthétique que les regards conjoints du policier et du sculpteur ont produite et qui reste à élucider.

CEINTURES

Selon un récent rapport d'Amnesty International, les personnels pénitentiaires américains ont un recours très fréquent à des ceintures paralysantes. Celles-ci sont activées à distance par les surveillants lorsque les prisonniers s'agitent anormalement. Attachées à la taille des prisonniers, elles émettent des décharges électriques pour les neutraliser. Plusieurs firmes, dont la société Stun Tech, produisent ces ceintures d'un genre nouveau, telles que le modèle REACT (pour *Remote Electronically Activated Control Technology*).

«La ceinture incapacitante constitue l'une des applications les plus préoccupantes de la technologie de l'électrochoc. À la différence des autres instruments capables d'infliger des décharges électriques haute tension, cet appareil est porté par le prisonnier, dans certains cas pendant plusieurs heures d'affilée. Pendant toute cette durée, celui-ci est donc soumis à la menace d'une activation du dispositif par le policier ou le surveillant de prison qui le contrôle. Ces ceintures sont télécommandées, le rayon d'action de la télécommande étant d'environ 90 mètres. La plupart des ceintures incapacitantes envoient une décharge électrique de 50 000 volts pendant huit secondes. Le courant pénètre dans le corps de la victime au niveau des électrodes, près des reins, et le parcourt entièrement. Dès les premières secondes, la victime perd tout contrôle de son organisme. La douleur, aiguë, s'intensifie à mesure que les secondes passent. Une fois déclenchée, la décharge ne peut être interrompue. Cet appareil a pour but d'inspirer à celui qui le porte une crainte permanente de se voir infliger une douleur intense, face à laquelle il est totalement désarmé. [...]

En janvier 1999, le juge fédéral Dean Pregerson (district central de Californie) a pris une ordonnance préliminaire interdisant l'emploi de la ceinture incapacitante dans les salles d'audience du comté de Los Angeles. Il a estimé que « la ceinture incapacitante, même si elle n'est pas activée, peut potentiellement compromettre la défense du prévenu. Elle a un effet terrifiant [...] Un individu qui porte une ceinture incapacitante risque de s'abstenir de certains actes légitimes, de peur d'être soumis à une décharge électrique de 50 000 volts... » [...]

La crainte de subir une douleur aiguë alors qu'on se trouve dans un état de totale vulnérabilité constitue l'un des éléments fondamentaux définissant la torture ou les mauvais traitements. Une personne qui porte une ceinture incapacitante redoute en permanence d'être soumise, à tout moment, à une forte décharge électrique, sans avertissement et pour des raisons qui peuvent lui échapper entièrement. Cette dépendance constante à l'égard d'un policier ou d'un surveillant qui a le pouvoir de faire souffrir quand bon lui semble est en soi dégradante. La possibilité d'infliger des décharges à distance au moyen de la ceinture incapacitante renforce l'éventualité d'une utilisation arbitraire et abusive de cet appareil, aisément transformé en un instrument de torture ou de mauvais traitement. »

C'est par ces mots qu'Amnesty International dénonçait ces pratiques et estimait dans un rapport que l'usage de la ceinture incapacitante constituait un traitement cruel, inhumain et dégradant. Pour cette organisation non gouvernementale, la fabrication, le transfert et l'utilisation de cet appareil devraient donc être interdits.

À la suite de Michel de Certeau et de ses réflexions sur la contrainte et les techniques des emprises corporelles, il faudrait faire l'histoire de la ceinture. Attribut guerrier – sur les vignettes historiques, Vercingétorix en porte une imposante –, elle est aussi un instrument de punition lorsqu'on l'utilise pour fouetter les fugueurs. Je me souviens que le film de John Huston, *Reflets dans un œil d'or*, d'après le roman de Carson McCullers, compte une scène d'une grande violence et d'un rare érotisme : Marlon Brando y fouette avec sa ceinture un étalon.

La ceinture identifie par sa boucle ; dans les uniformes, c'est une pièce clé : pas de bel uniforme sans une belle ceinture. Le régime soviétique était maître en la matière et l'on vend depuis 1989, un peu partout à travers le monde, ses stocks militaires à jamais démodés. Le marteau et la faucille, la tête de Lénine sur la boucle faisaient hier talisman et contribuaient à protéger le combattant : « Lénine te tient le ventre, camarade ! » Aujourd'hui, ils sont ornements décalés ; semblables aux logos d'une marque, ils indiquent juste l'ignorance de l'histoire dans laquelle se tient le ceinturé, ou son désintérêt pour elle.

La ceinture porte aussi la paire de revolvers des cow-boys, ou le médaillon du boxeur vainqueur d'un championnat.

Il y a ainsi tout un usage visuel des ceintures. On notera au passage que cet usage s'inscrit dans des pratiques viriles dont les femmes sont absentes. On imagine mal une gymnaste porter sa médaille d'or au-dessous du nombril... La ceinture, sans doute, sépare les sexes. Ce dont témoigne le souci d'un certain nombre de couturiers d'en faire, avec plus ou moins de bonheur, un accessoire féminin. Les hommes, d'ailleurs, se transmettent les ceintures de père en fils, exactement comme le font les femmes avec les bijoux. Transmission inavouable d'un capital de virilité? De quelle valeur cette lanière de cuir est-elle porteuse pour que j'en hérite si ce n'est le devoir d'être homme?

Loin de ce folklore chromé, la ceinture a des vertus thérapeutiques. Après tout, elle ceint le centre du corps et bon nombre d'instruments de rééducation et d'orthopédie sont des ceintures. Certaines ne sont pas, à proprement parler, orthopédiques, comme les ceintures développées par les médecins du XVIIIe visant à lutter contre l'onanisme. Thomas Laqueur a montré que cette puissante campagne n'était pas le fait de l'Église mais des Lumières, à commencer par notre cher Jean-Jacques Rousseau. Il y voyait un risque de renfermement de l'individu sur lui-même. En un mot : la ceinture pour sauver le contrat social.

L'intérêt d'une histoire qui se concentrerait sur un objet aussi singulier que la ceinture serait de croiser ensemble des usages très différents et de voir comment cet accessoire d'habillement participe d'une histoire à la fois de la violence, des sexes, de la médecine et de la mode. J'imagine ainsi très bien dans un «musée de civilisation», comme il s'en ouvre beaucoup ces temps derniers, une salle dévolue à la ceinture. Un regard transversal donnerait ainsi à voir une série de transferts de technologie, parfaitement terrifiants. Du cow-boy au prisonnier afro-américain, de Clovis à l'enfant masturbateur…

CARNETS

La prise de note ne se limite pas à celle des étudiants écoutant le cours de leur professeur ou à celle des secrétaires retranscrivant les propos de leur patron. Chacun, dans sa vie ordinaire, «prend en note». Qu'elle soit associée à la pratique de la lecture ou qu'elle relève d'un travail d'appréhension du réel, la prise de note n'est à proprement parler ni écrire ni copier, elle est dans l'entre-deux. Imaginons étudier cette pratique intermédiaire à partir d'un corpus élargi qui comprendrait aussi des carnets de blagues, de bal, de correspondance...

À travers et par ces archives, on est sans doute au degré le plus bas de la mise en scène de soi, à un niveau où, pour des chercheurs en sciences sociales, affleurent avec la plus grande force les rapports des individus à leur milieu. Ces carnets ne disent pas mieux la réalité que d'autres sources, pas moins d'ailleurs, mais, simplement, le grain qui est le leur est d'une plus grande finesse pour comprendre comment on se débrouille avec le travail, la famille, l'alcool. Et bien sûr avec cette étrange chose qui consiste à écrire...

Trouvé dans un vide-grenier de mon quartier, un minuscule carnet dont la couverture avait été déchirée, ayant appartenu à une jeune fille dans l'entre-deux-guerres. Couvertes d'une même écriture, les quelques pages ont servi de support à une activité ponctuelle : la recherche d'un emploi. Sur ce petit bloc ont été prises en note quelques informations extraites des annonces d'emploi d'un journal.

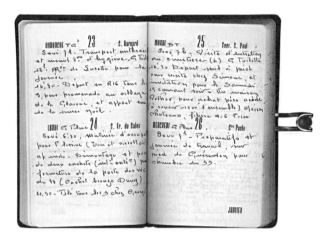

Rencontre Jean-François Laé, qui vient de mettre la main sur un ensemble d'agendas des années 1960 ayant appartenu à un ouvrier de l'arsenal de Cherbourg. Chaque jour, et avec une régularité de métronome, l'homme a noté le temps qu'il faisait, indiqué les personnes rencontrées, posé ses dépenses...

Antoine Mortemard, un ami architecte, m'offre un carnet orange laissé par un inconnu dans un appartement de l'immeuble qu'il va réhabiliter. D'une écriture maladroite, un jeune homme a écrit au jour le jour les tourments de sa vie amoureuse. Il s'est confié au carnet orange plusieurs mois durant avant de l'oublier.

À Bruxelles, sur une brocante, place du Jeu-de-Balle, j'ai trouvé cet hiver un carnet de rêves tenu par une femme après la mort de son mari et de son fils, entre le 28 février 1981 et le 15 février 1985. Cette rêveuse notait d'abord sur des feuilles volantes ses songes puis, après coup, les recopiait dans ce joli carnet broché.

Dans un *flea market* de la 27e Rue à Manhattan, je trouve pour cinq dollars un carnet d'autographes des années 1940. Une jeune fille, avant de partir pour l'université, y avait fait remplir par ceux qui l'entouraient, au collège, les pages de couleur. Chacun y est allé de sa petite tirade, vantant tel ou tel aspect de la personnalité de Janice. L'objet, par les échantillons d'écriture qu'il contient, est un petit bijou qui a la douceur des pages tournées.

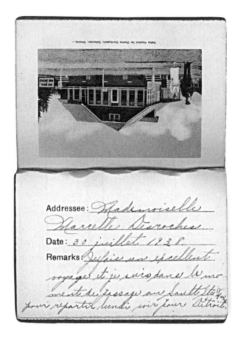

À Montréal, chez un antiquaire du quartier populaire de Saint-Michel, je tombe sur la souche d'un carnet de cartes postales. La scripteuse a consciencieusement rempli le talon chaque fois qu'elle envoyait une carte à des correspondants. En voyage en Ontario, elle garde trace de ces envois alors que le contenu varie peu. Quel sens avait pour elle cette pratique ? Peut-être le fait de prendre ces notes lui permettait-il d'aller jusqu'au bout de sa pratique scripturaire. Du travail bien fait. Une histoire des débordements du bureaucratique sur le domaine des écritures privées.

pratiques

AUTOSIGNALEMENT

Un jour d'orage, dans la bibliothèque familiale, je trouve d'étranges romans d'aventures dont les héros sont des missionnaires et des bonnes sœurs. Il y a là un formidable pan de littérature totalement négligé par la recherche, alors qu'il compose avec la littérature policière, bien mieux connue, un véritable diptyque. Au début du XXᵉ siècle et jusqu'aux années 1950, avec le début de la décolonisation, autour de la figure du père blanc et de la religieuse, se développe un imaginaire de l'Afrique, et plus généralement de l'exotisme, absolument saisissant par ce qu'il dit de notre aveuglement.

À côté de cette littérature blanche, il y a dans la bibliothèque des missels par dizaines. Quand j'ouvre ces derniers, en tombe une impressionnante collection d'images pieuses intercalées entre les pages. Bernadette Soubirous y occupe bonne place. Je retrouve toutes les photos du corpus établi par son hagiographe Laurentin. Achetées à Lourdes lors d'un pèlerinage, elles étaient offertes, faisant ainsi circuler le visage de la petite Bernadette. Mais on trouve aussi, et la chose est moins connue, un ensemble de petites cartes indiquant un décès, une communion, un baptême… Si sur certaines d'entre elles figurent une image pieuse, un Christ en croix, la plupart montrent le portrait photographique du mort ou du communiant. Ce sont ces clichés qui m'arrêtent.

Entre autres, le portrait d'une fillette toute vêtue de blanc et au-dessous les mots : « Souvenez-vous dans vos prières de Jeanne Laureau, rappelée à Dieu le 16 janvier 1924 à l'âge de 11 ans. » Suit une série de citations de saint Jérôme, saint Marc et saint Augustin sur la mort des enfants comme don de Dieu. Ou cette autre carte, avec le portrait flou d'un jeune soldat et au-dessous, comme l'encadrant : «Vous qui l'avez connu et aimé, souvenez-vous dans vos prières de Henri Deslandres, médecin auxiliaire au 108e Régiment d'Artillerie, tombé au Champ d'honneur au Bois-Bourrus (Verdun) le 17 Août 1916 dans sa 24e année. Citation à l'ordre du 31e corps d'armée : Depuis que le groupe est en position a fait preuve d'un grand zèle, de dévouement et de courage, dans l'accomplissement de son devoir. A été tué à son poste par un obus ennemi le 17 août 1916.»

Et cet homme d'Église au regard pénétré, avec comme commentaire : «Souvenez-vous devant Dieu de Monsieur l'Abbé Louis Beutot, Chanoine honoraire, Curé de St-Pierre Endormi dans le Seigneur le 6 décembre 1899 à l'âge de 82 ans (1817-1899). Dieu lui avait donné en partage la bonté, la douceur, l'abnégation, le dévouement.»

Ces dernières années, de nombreux travaux ont été consacrés à l'identification et en particulier au signalement – cette brève description visant à distinguer un individu d'un autre. Curieuse littérature que ces petits portraits d'hommes et de femmes, agencement d'adjectifs qualificatifs, qui disent la forme du nez, la couleur des cheveux et des yeux, parfois un tatouage, parfois une cicatrice. Les portraits d'esclaves marrons, de soldats déserteurs, de criminels récidivistes et de tant d'autres composent cet immense livre des corps constitué par les registres de l'armée et de la police.

« L'an 1847 et le 10 avril à 9 heures du matin, Monsieur Philippe Davancase, négociant, domicilié dans la commune du Moule, a déclaré, par écrit, à nous, Jean Monneret, Maire de la dite commune que l'esclave Lowinsky, du sexe masculin, de couleur rougeâtre, âgé d'environ 20 ans est en état de marronnage depuis environ 1 mois. »

« Nicolas Colin dit Francœur, âgé de 22 ans, originaire de Joinville en Champagne, haut de 5 pieds demy pouce, les cheveux chatain, une cicatrice sur le sourcil de côté gauche, le visage plein, les yeux gris, taillandier de son métier [...] a déserté à Laon. »

« Jacques Vallade dit La Fleur, 24 ans, les cheveux noir, frisés, les yeux roux, les sourcils noirs et épais, le front large, le nez court. »

« Pierre Olivier dit Sans-Façon, 24 ans, une brulure à la machoire gauche et un petit trou au menton. »

Gérard Noiriel et beaucoup avec lui, notamment les historiens de la photographie, se sont penchés sur ces objets aussi nombreux qu'inefficaces. Si le signalement est le sujet de tant de travaux c'est aussi qu'il fascine. Il est le Louvre des historiens des bas-fonds, il a sa Joconde, le condamné à mort, et son Géricault, l'hystérique.

Cette mise en fiche de la société et de ses marges, ces innovations permanentes pour parvenir à opérer la surveillance, ne vont pas sans une diffusion plus large d'un tel modèle. On pourrait ainsi, je crois, écrire une histoire parallèle à celle-ci, l'histoire de l'autosignalement, de cette propension à se donner à voir, à s'inscrire, de l'injonction aussi à le faire. Au XVIIIᵉ siècle, il y avait les miniatures, ces portraits en médaillons portatifs dont l'aristocratie européenne était friande. On trouve ainsi au musée de Varsovie une étonnante collection de portraits de riches inconnus. Il y a là des enfants chéris, des femmes aimées, des fils adorés.

Suivent, au XIXᵉ siècle, ces ensembles de cartes qui jalonnent une existence. On ne dit rien ou presque du sujet, car sa photo ou son portrait peint accompagné de son nom suffisent pour assurer sa présence. Il est frappant de voir combien ces petites cartes sont contemporaines des fiches anthropométriques d'un Alphonse Bertillon, produites à la même époque, et similaires à elles.

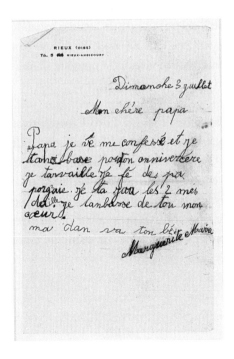

Aujourd'hui abondent sur Internet des fiches assez identiques. Meetic.fr présente ainsi une galerie d'autoportraits des plus fascinantes. Une photographie accompagne une description avantageuse du physique. Parfois, l'image est celle d'un mannequin ou d'une star de porno. Car il ne s'agit pas ici de première communion, mais bien de fiches électroniques pour rencontrer des partenaires sexuels.

« Grand et bel H à l'allure sportive et au regard expressif, 31 ans, cél., il est avocat... Une excelllente présentation classique et soignée, un regard clair énormément de charme, ingénieur, 35 ans, cél., calme, posé, sentimental, solide... C'est un homme exceptionnel, 36 ans, cél. A tout pour lui : du charme, de l'allure, une situation professionnelle, une intelligence vive... On peut lire dans ses yeux bleus intelligence et droiture... »

Sans doute cette histoire de l'autosignalement nous amènerait-elle à écrire une histoire politique de la fiche et de ses usages. On pourrait aussi élargir la recherche et tenter de comprendre pourquoi, à partir de la fin du XVIIIe siècle, la petite fiche cartonnée est devenue un objet politique, esthétique et scientifique. Bien avant Roland Barthes, ils sont en effet nombreux à avoir utilisé le principe du fichier.

ANONYMAT

L'homme anonyme est l'une des figures les plus fameuses de l'historiographie contemporaine : il y a les engloutis, les sans-visages, les silencieux, les ouvriers, les paysans sans terre, les prisonniers de droit commun, les individus internés, déclassés... Pourtant, l'histoire de l'anonymat reste à écrire. Rien ou presque n'a été produit sur la manière dont s'est constituée la catégorie de l'anonyme.

Cette histoire compterait aussi bien parmi ses protagonistes le jeune modèle posant nu avec un loup sur les yeux devant un photographe, que l'agresseur masqué attaquant un bourgeois dans une rue parisienne, le généreux donateur qui tait son nom que l'anarchiste qui pose une bombe ou envoie une lettre de menace non signée.

Sans doute cette histoire est-elle étroitement liée à celle de la surveillance. Alors que l'on cherchait à mettre en place des fichiers susceptibles de repérer sur le territoire la présence d'individus dangereux, l'anonymat a semblé la seule arme efficace pour contrer cette offensive. Portrait de l'anonyme en résistant face à la transparence des territoires.

Le cas de l'écriture est particulièrement exemplaire de ce phénomène. Tout au long du second XIXᵉ siècle, médecins et pédagogues se sont évertués à établir une clinique de l'écriture, permettant une identification du sujet à partir de la sienne. Or, durant les deux dernières décennies du siècle, sont apparues des manières de ne pas tomber dans les mailles de ce piège : écriture tremblée, recours à la machine à écrire, découpage de caractères de presse...

L'anonymat s'affirme à la fin du XIXᵉ siècle comme le seul moyen d'échapper à la société de surveillance. C'est de cette résistance qu'il faudrait faire l'histoire.

Les lettres de menace ou de plainte envoyées aux pouvoirs publics – à la présidence de la République comme au préfet de police – sont l'une des sources privilégiées pour une telle recherche. On y voit non seulement la manière dont progressivement des techniques d'anonymisation se sont développées, mais aussi le champ d'intervention pour lequel l'anonymat a été choisi.

Il n'est pas que l'écriture qu'on maquillait ; un autre élément faisait l'objet d'un fort investissement : la peau. Les grandes enquêtes dermatologiques du milieu du XIXᵉ siècle qui portaient sur les tatouages dans des institutions comme l'hôpital Lariboisière ou les Invalides avaient souvent comme objet la suppression des inscriptions sur la peau des individus.

On sait combien, dans l'établissement des signalements, les tatouages plus que les cicatrices constituaient des signes particuliers permettant de distinguer un individu d'un autre. Ce que les médecins découvraient c'étaient des pratiques d'effacement volontaire de ces inscriptions. Ils étudiaient ainsi comment et dans quelles circonstances certains sujets gommaient la surface de leur peau, quelles techniques et quels produits ils utilisaient…

Le docteur Charles Perrier, dans sa célèbre monographie sur les criminels, parue à Lyon en 1905, citait ainsi la technique de l'un de ses confrères : « Parmi les procédés de détatouage, un des meilleurs et des plus inoffensifs est certainement celui du docteur Variot. Il est à recommander : on verse sur la peau une solution concentrée de tannin ; puis à l'aide d'un jeu d'aiguilles, on fait des piqûres serrées sur toute la surface du tatouage. L'opération terminée, les parties piquées sont frottées, doucement, avec un crayon de nitrate d'argent, jusqu'à ce qu'elles se détachent en noir foncé par la formation d'une tannate. »

Ainsi, alors que la peau semblait porteuse des signes d'identité les plus évidents et surtout les moins falsifiables, voilà que certains s'employaient à brouiller cette transparence. Ambroise Tardieu, dans son *Étude médico-légale sur le tatouage considéré comme signe d'identité*, publiée en 1853 chez Baillière, rapportait un cas extraordinaire d'anonymisation : Aubert, accusé d'un vol en 1843, revendiquait comme prononcée contre lui sous le nom d'un autre – Salignon – une condamnation qui lui donnerait un alibi. Or, cet autre, à sa différence, était alors tatoué. Aubert, alias Salignon, avait déclaré avoir effacé ces fameux tatouages. Or, enquêtant, Tardieu découvre que les tatouages effacés par Aubert sont sans rapport avec ceux que Salignon aurait portés. Autrement dit, Aubert s'est non seulement servi d'une technique très efficace d'effacement des tatouages, mais il a accompagné cela d'un discours visant à s'attribuer une identité autre. Le médecin a mis ainsi en lumière des procédés de gommage jusque-là ignorés, et ainsi conclu son étude : « Les traits imprimés par le tatouage peuvent être effacés artificiellement au moyen d'applications escharotiques ; mais, dans ce cas, alors même que le procédé le plus perfectionné a été le plus habilement mis en œuvre, il en reste encore des traces qui peuvent être à peine perceptibles, mais qui n'échapperont pas à un examen attentif et à un œil exercé. »

Sans doute cette histoire de l'anonymat exigerait de faire un large détour par celle de la chirurgie et en particulier celle des «gueules cassées» de la Grande Guerre. Ces dernières ont permis de développer les techniques de chirurgie faciale, et sans nul doute de jeter les bases d'une chirurgie dite «esthétique», chaînon postmoderne de cette histoire, mis élégamment en scène par John Woo, dans *Volte-face*.

On pourrait aussi, à partir des rapports de police, étudier les actes anonymes : inscriptions sur les murs, dépôts d'un bouquet de fleurs sur un monument, ou suicide... Et se demander en quoi l'anonymat constitue pour les enquêteurs un problème. Car l'essentiel est surtout la manière dont l'anonymat est perçu et les effets de dérangement qu'il produit dans l'espace social. Il s'agirait donc de faire aussi l'histoire d'un dérangement.

ENQUÊTE SAUVAGE

Le XIXᵉ siècle a vu se développer de manière massive un mode d'appréhension du réel absolument singulier : l'enquête est devenue la pratique de connaissance la plus remarquable. Tout le monde s'est mis à faire des enquêtes et on en a mené sur à peu près tous les sujets et toutes les populations. Que l'on pense à celle qu'un Topinard a initiée en France au milieu du XIXᵉ siècle sur la couleur de l'iris des yeux dans la population française. Enquête essentielle, comme le souligne Nélia Dias, tant elle problématise à plus d'un titre le regard de l'enquêteur : Voit-il bien ? N'est-il pas atteint lui-même d'une pathologie visuelle ? À quelle distance doit-il se tenir ?

Songeons aussi aux grandes enquêtes sur le tatouage et les tatoués qu'initièrent des médecins à partir de 1850. On traqua les tatouages, de l'hôpital Lariboisière au bagne de Cayenne, des navires de la Royale aux bataillons disciplinaires d'Afrique du Nord. On interrogeait les tatoués, notant scrupuleusement et au détail près leurs déclarations. Sous couvert de dermatologie et de médecine légale, c'est l'une des premières grandes enquêtes à comparer ces pratiques des deux côtés de la mer Méditerranée, au Maghreb et en Europe.

J'ai eu dans les mains un album extraordinaire, fruit d'une enquête du début des années 1920 et héritier du fameux rapport de 1857 sur la prostitution de Parent-Duchâtelet, qu'Alain Corbin avait republié. Sur ces pages a été rassemblée une étonnante documentation sur les prostituées à Lyon au lendemain de la Grande Guerre. Son auteur a photographié systématiquement les maisons closes de la cité des Gaules : la façade de l'établissement, le salon d'accueil et, de temps à autre, quelques-unes de leurs locataires. Parfois ont été ajoutés les cartes de visite et les portraits en pied des pensionnaires. Dans la seconde partie de l'album, le regard de l'enquêteur s'est porté sur les plus misérables, la face ouvrière de la prostitution. Car loin des maisons closes il y avait, en haut des immeubles pauvres, des chambres meublées dans lesquelles des femmes, pour quelques sous, donnaient du plaisir.

Ces pratiques d'enquête, dont l'une des matrices semble avoir été, selon Dominique Kalifa, l'enquête criminelle, font l'objet de nombreuses recherches aujourd'hui. Enquête sur l'enquête que Michelle Perrot a initiée en travaillant en particulier sur celle du Visiteur des pauvres, le baron de Gérando. Il est en outre intéressant de constater que les seules archives ou presque de la recherche française en sciences sociales qui font aujourd'hui l'objet d'une conservation sont les grandes enquêtes monographiques et collectives des années 1950. Sans doute faut-il voir quelque chose dans l'enquête qui relève à la fois de l'archéologie et de la mythologie de nos sciences sociales et humaines.

Il est aussi très frappant de constater que ce goût de l'enquête a rayonné bien au-delà des sphères scientifiques. L'enquête comme désir de savoir, sans doute lié à une volonté de domination, a en effet été adoptée par l'homme ordinaire. Chacun s'est mis à faire des enquêtes sauvages. Cela est particulièrement remarquable chez les marins du second XIXe siècle qui se sont mués en ethnographes. Ils se sont mis à décrire les populations rencontrées, à dessiner leurs habitations, à inventorier leurs objets domestiques et à tenter de caractériser leur psychologie. Si la seconde partie du XXe siècle a été dominée par la captation par l'image photographique, captation infinie des corps et des paysages, des objets et des êtres sur la pellicule, constituant une collection, le XIXe siècle, quant à lui, fut hanté par l'enquête. Et dans la production de cette science de l'Autre, ces enquêtes «sauvages» ont probablement joué un rôle essentiel qu'il faudrait analyser.

Songeons par exemple à Georges Hérelle, traducteur de l'italien – et en particulier de Gabriele D'Annunzio –, folkloriste du Pays basque et auteur d'une enquête sauvage totalement inédite sur l'inversion sexuelle fin de siècle. Lui-même homosexuel, il est tombé sur le questionnaire concernant l'inversion du sens génital lancé par un dénommé Raffalovitch dans la revue de médecine légale lyonnaise, *Archives d'anthropologie criminelle*. Il a décidé de mener son enquête à partir de sa propre expérience et de celle de ses amis, produisant un document aujourd'hui unique. Le plus extraordinaire, chez Hérelle, est que jamais il n'envoya à la revue la documentation rassemblée ; il la conserva dans ses affaires et, au terme de son existence, en fit don à la ville de Troyes où elle est aujourd'hui conservée. Enquête secrète.

Le prince de Joinville, François d'Orléans, fils de Louis-Philippe, fut un autre de ces enquêteurs sauvages : il a ainsi tenu tout au long de sa longue carrière dans la marine, puis, après la chute de la monarchie, lors de ses voyages en Amérique, un formidable journal conservé au musée de la Marine. Son activité de marin lui fit souvent délaisser la plume pour le pinceau, et, avec talent, il a minutieusement peint les populations rencontrées. Sans en faire une pratique systématique, il s'est constitué en ethnographe amateur. Joinville a ainsi rapporté de ses voyages des instantanés remarquables. Lorsque, après la révolution de 1848, il fut obligé de quitter la marine nationale et de partir en exil, il fut le témoin de la guerre de Sécession américaine qu'il peignit en aquarelles. Avec application, il esquissa les grands tableaux historiques de l'histoire des États-Unis, exactement comme George Catlin quelques années plus tôt avait peint les derniers Indiens des Plaines. Ces enquêteurs sauvages sont aujourd'hui des sources précieuses pour la recherche. Il y avait en effet chez chacun d'eux un savoir profane des méthodologies scientifiques contemporaines. Ils s'inspiraient des savants et tentaient, en s'appropriant leurs outils, ce que ces derniers ne s'autorisaient pas à faire eux-mêmes. Ils ont ainsi composé, loin des laboratoires, des universités et des instituts de recherche, des pôles de savoir autonomes passionnants à étudier. Travailler sur ceux qui restent à jamais en dehors de l'institution du savoir ; examiner ces nids de connaissances méprisés. En somme, prendre au sérieux ce qui ne l'a jamais été.

BANDEROLES

Le photographe Élie Kagan mort en 1999, fut un formidable chroniqueur du militantisme de l'après-guerre à la fin des années Mitterrand. Il a photographié toutes les manifestations qui ont eu lieu sur le pavé parisien, et notamment celle du 17 octobre 1961, si durement réprimée sur ordre du préfet de police Maurice Papon. Kagan fut cette nuit-là le témoin du martyre de centaines d'innocents passés à tabac et jetés dans la Seine. Ses photos constituent aujourd'hui encore les pièces à conviction de ce massacre d'État. Dans les milliers de clichés déposés à la BDIC après sa mort, se trouvent aussi des portraits de nos grands hommes, de Sartre à de Gaulle, de Foucault à Thorez, de PMF à Dany le Rouge.

Mais la masse principale de cette énorme banque d'images est constituée par des milliers de photos de cortèges : un immense défilé allant de la République à la Bastille, d'année en année. En noir et blanc et en silence, ils défilent avec banderoles, calicots, pancartes, etc. Kagan s'est ainsi fait l'archiviste des événements de rue, et en particulier des manifestations de l'extrême gauche des années 1968. C'est d'ailleurs en travaillant sur le Groupe Information Prison et Foucault que j'ai découvert cet incroyable fonds.

Kagan se déplaçait souvent dans Paris avec un solex, se rendant ainsi très rapidement d'un point à un autre de la ville. Lors de ses sorties, il s'arrêtait ici ou là pour saisir non une scène mais un graffiti ou un mur d'affiches. De ses rondes, il revenait avec des photos représentant les interventions de la contestation sur le paysage urbain et ses monuments. Pour couvrir les manifestations, le photographe se postait en un point du parcours, généralement en surplomb, et prenait les manifestants au fur et à mesure de leur avancée. Afin d'obtenir cet angle qui caractérise ses prises de vue, Kagan montait sur un feu de signalisation ou utilisait un escabeau. À chacun de ces affûts correspondent une trentaine de photos, qui sont souvent plus ou moins tremblées et dont le cadrage est sans recherche d'originalité. Elles ont cependant le grand mérite de proposer un inventaire exhaustif des techniques de contestation. Inventaire complété par un travail d'immersion : Kagan marchait dans la rue aux côtés des manifestants et photographiait en plan serré un certain nombre de détails, et notamment des écrits.

À partir des archives d'Élie Kagan, les linguistes pourraient étudier le slogan revendicatif dans les manifestations entre 1950 et 1995. Je rêve pour ma part d'une histoire de la banderole à la manière dont Béatrice Fraenkel a analysé les écrits du 11-Septembre. Ces photos sont en effet constituées en séries permettant d'évaluer l'efficacité visuelle de tels ou tels écrits. À la différence d'un simple relevé, les clichés montrent les banderoles dans leur environnement graphique ;

on peut reconstituer assez facilement des paysages d'écriture, comprendre comment ils interagissent les uns avec les autres, quel texte ils composent ensemble. De même peut-on analyser la manière dont les manifestants les portent, comment ils s'en servent... Bref, il est possible, grâce au travail de Kagan, d'étudier la banderole sous toutes ses coutures car cet objet est une invention récente : l'idée de promener des écrits dans l'espace urbain sur un morceau de tissu a à peine un siècle d'existence, comme Danielle Tartakowsky l'a montré. Pendant la Révolution française et tout au long du XIXᵉ siècle, les banderoles étaient absentes. C'étaient les drapeaux, et bien sûr les chants, qui dominaient. La banderole a une histoire, une technique, aussi, parfois même assez élaborée. Pour être utilisées, certaines d'entre elles ne mobilisent pas moins d'une dizaine de manifestants et sont portées avec des harnais... Les partis communistes du monde entier ont été très inventifs en ce domaine : il y avait dans chacun des pays frères de grands ateliers graphiques qui construisaient les panneaux et autres banderoles. Cette armée d'écrits peints a contribué à forger un ordre graphique unique. Les écrits de 1968 doivent ainsi sans doute beaucoup au PC chinois et à ses dazibaos.

On pourrait compléter l'enquête en allant consulter les photographies des mêmes manifestations produites par la police. Alors que Kagan semble avoir été systématique dans ses prises de vue – il s'agissait pour lui d'archiver les luttes –, il est vraisemblable que les services de l'État sélectionnaient leurs sujets – pour identifier les suspects.

J'ai récemment consulté un ensemble de clichés pris par la police politique tchèque pendant le Printemps de Prague.

Les étudiants avaient recouvert la statue équestre du centre-
ville de dizaines de banderoles et autres affichettes. Détourne-
ment de monument ou, plus exactement, réappropriation
d'un passé spolié. Le photographe, très consciencieusement,
avait saisi chacun des côtés de la statue et l'on peut, à quarante
ans de distance, dresser la liste de tous les slogans utilisés. On
peut aussi constater que la peinture était préférée à la craie, le
papier au tissu…

Il serait sans doute intéressant de mettre en relation cette
« prise de monument » par l'écrit avec le mur d'écritures constitué au lendemain de la disparition du père Jerzy Popiełuszko.
Ce prêtre polonais, connu pour ses sermons favorables à
Solidarność, fut enlevé par la police politique en octobre 1984,
puis torturé et exécuté. Sa paroisse de Varsovie a ainsi vu se
dresser en quelques semaines une barricade tout autour de

l'église ; une barricade faite d'écharpes portant un mot de soutien et de reconnaissance à ce prêtre martyr. Dans le musée qui lui est consacré, ces banderoles sont conservées, roulées dans des armoires vitrées : on croirait voir des cocons d'où, un jour, des papillons sortiront... On peut aussi se demander pourquoi les conserver. Sans doute forment-elles les reliques collectives – ses bandelettes, pourrait-on dire – de celui que beaucoup voudraient voir canonisé. Mais ces dizaines d'écrits portatifs composent surtout pour les chercheurs un formidable échantillon graphique.

NAVIRE

Lorsqu'en août 2000 survint la tragédie du *Koursk*, ce sous-marin nucléaire russe qui s'était abîmé en mer, condamnant ses marins à une mort lente et cruelle, je fus touché par les écrits qu'ils avaient laissés à leurs proches ; un journal, dans un supplément du week-end, avait publié ces discours du très profond mais pas encore de l'au-delà. J'avais noté ces quelques lignes de l'une des victimes, le capitaine Kolesnikov :

« Il fait trop sombre ici pour écrire, mais je vais essayer au toucher. Il semble qu'il n'y ait pratiquement aucune chance, 10-20 %. J'espère qu'au moins quelqu'un lira ceci. Voici la liste de membres d'équipage des autres sections qui sont maintenant dans la neuvième et qui vont essayer de sortir. Salut à tous, pas besoin d'être désespéré. »

De même avais-je été intrigué par l'existence aux archives du port de Brest d'un dossier comprenant un ensemble important de messages de sous-mariniers. Tout écrit sortant du bâtiment devait en effet être lu et avalisé par un service du ministère de la Marine avant d'être envoyé à son destinataire : les sous-marins assurent notre défense, en dévoiler la présence pourrait avoir des conséquences graves en cas de conflit. Ceux de Brest étaient donc restés en rade. Avant le sous-marin, le bateau a été si important dans nos civilisations – sans la caravelle point de Martinique! – que je me demande comment la navigation et l'écriture s'articulaient. On sait beaucoup de choses sur les pratiques d'écriture dans d'autres lieux de clôture – le couvent, l'asile –, presque rien en revanche sur ce qui s'écrit sur un bâtiment maritime. Mais comment aborder ces corpus de bouteilles à la mer? En écoutant mon collègue Jérôme Denis utiliser le concept d'«artefact cognitif» cher à la sociologie de l'action située, au sociologue américain Edwin Hutchins en particulier qui a étudié dans cette perspective comment un pilote d'avion agit dans un cockpit, je songe que ces écrits ne sont qu'une infime partie d'un immense continent, celui des écritures maritimes. Or ces dernières restent à explorer. Je crois que les sociologues de l'action située les aborderaient sous l'angle de la gouvernance : il n'y a pas de pouvoir de l'écriture sur un navire, mais bien un mode de gouvernement par l'écrit. C'est-à-dire que pour que le bateau avance, il faut l'écrire; c'est cet agencement d'actes qui est intéressant. Il s'agirait d'appréhender chacun des gestes d'écriture, non en interrogeant son acteur, mais bien la série dans laquelle il s'inscrit, ce qui entraîne ou empêche. Des écritures engrenages.

On serait ici bien loin de tout un imaginaire littéraire de la navigation, celui de Joseph Conrad, d'Herman Melville et de tant d'autres, qui, chacun à leur manière, ont contribué à occulter cette dimension pragmatique de l'écrit. On serait à des milles, aussi, de l'épopée de Billy Budd contée dans les ports telle qu'à la fin du roman Herman Melville la rapporte. Point ici, d'étonnants voyageurs.

Depuis le xvie siècle, le mode de gouvernement sur les navires se fait par une série de pratiques d'écriture extrêmement précises. À chaque poste – du commandement au maître mécanicien – on tient des écritures. Ainsi, le navire réel est-il occupé par un autre bâtiment, celui-là de papier, composé des différents journaux de bord, des multiples rapports et d'une multitude d'écrits quotidiens. Cette intense activité d'écriture répond aux fonctions assignées aux navires. Le bateau de la flotte n'a pas pour seul objectif de faire la guerre. Il est un lieu d'observation, d'expérimentation et de collecte de données. Pour chacune de ces tâches, des écritures spécifiques sont produites, outre toutes celles qui relèvent de l'administration du bateau – discipline, intendance et bien évidemment navigation. Ainsi, le médecin fait un compte rendu quotidien sur la santé à bord et des rapports épidémiologiques sur les marins comme sur les populations rencontrées.

Au centre d'une traversée, il y a surtout le journal de bord, cet étrange objet. Le journal de bord n'est pas tenu par le seul commandant, il est la synthèse de tous les autres carnets. Il est donc à la fois trace, faisant mémoire de la vie du bateau, mais aussi devenir. Le journal porte dans ses pages l'avenir de la traversée. C'est grâce aux données qu'il contient qu'on déterminera la direction, c'est à partir des indications qu'on y a portées que tel ou tel événement dans la vie de l'équipage se produira. Le capitaine ne tient pas seulement un journal de bord, il décrit les côtes des terres approchées, les bateaux croisés, et dessine parfois les ports où il a mouillé.

On peut se faire une idée de cette double fonction de l'écrit, et notamment du journal de bord, en lisant les directives du ministère de la Marine sur le service à bord des bâtiments de la flotte du 15 août 1851 (*Bulletin officiel de la Marine*, 1851, 19-41, pp. 463-647) :

« Art. 179.
1. Le capitaine tient un registre, intitulé Livre d'ordres, sur lequel il inscrit ses ordres généraux relatifs au service.
2. Il exige que chacun des ordres que renferme ce registre soit émargé par ceux des off. ou autres pers. qu'ils concernent.

Art. 180.
Il inscrit sur un registre particulier les punitions qu'il a infligées aux diverses personnes de l'état-major et les motifs qui les ont déterminées.

Art. 181.
1. Il (le capitaine) tient un journal exact de sa navigation (modèle 25 et 28).
2. Quand le bâtiment fait partie d'une force navale, le capitaine présente ce journal à son chef direct, quand il en est requis.
3. Il se fait présenter le 1er de chaque mois, et plus souvent s'il le juge nécessaire, les journaux des officiers, et il y appose son visa.

Art. 182.
1. Il prescrit que toute personne expédiée pour prendre des approvisionnements se fasse remettre la pièce qui constate la nature et la quantité des objets délivrés, et qui doit être signée par la personne qui en a fait livraison.
2. Il ordonne que l'officier de service vérifie la concordance de cette pièce avec les objets qui arrivent à bord, et qu'il en opère la transcription sur le carnet.

Art. 190.
1. Lorsqu'il y a lieu de délivrer des certificats de bonne conduite ou de capacité à des officiers mariniers, ou à des quartiers-maîtres, ou à d'autres hommes d'un rang inférieur remplissant les fonctions de maîtres chargés,

ces certificats (modèle 18) sont remis par l'officier en second au capitaine ; s'il les approuve il appose son visa, sans lequel ces certificats ne sont pas valables.

Art. 205

6. Le capitaine charge spécialement un officier de vaisseau de surveiller l'instruction théorique et pratique des aspirants.

Art. 215

1. Dans les plus brefs délais après la sortie du port, le capitaine fait dresser les rôles définitifs de combat, d'abordage, de quart, d'appareillage, de mouillage, d'incendie, du service de la machine, et de manœuvre de toute espèce, conformément à ce qui est prescrit par les règlements. 2. Il arrête la liste des hommes dont la fonction à bord comporte des suppléments de solde.

Art. 229

[...] Il fait établir, pour chaque quart, un rôle de sauvetage pour laisser tomber la bouée, en suivre le relèvement, et manœuvrer le canot.

Art. 232.

Il (le capitaine) surveille la tenue du registre signalétique des canons embarqués sur son bâtiment. »

Il faut étudier cette immense machine graphomane qu'était le navire jusqu'au milieu des années 1960. Le musée de la Marine, mais aussi le Service historique de la Défense, ont des archives merveilleuses en ce domaine. Avec deux collègues, Annick Arnaud et Bérénice Waty, nous avons ainsi aperçu dans les archives de la Marine nationale des strates d'écritures absolument passionnantes : écrits disciplinaires, écrits d'observation, écrits techniques... À travers cet objet palimpseste, on pourrait sans doute mesurer combien l'écriture fut étroitement liée dans nos sociétés à l'exercice du gouvernement.

CHINE

Je vais presque chaque week-end, seul ou accompagné de mon fils Pierre, en brocante. Je dis *en* brocante, comme on part en montagne, en mer ou en forêt. Pourtant je ne prends pas l'avion, ni le train, ni même le métro ; je me rends dans ces brocantes et autres vide-greniers à pied ou à vélo. C'est ce qu'on appelle aujourd'hui la proximité, à l'opposé du lointain... même si aller chiner tient chaque fois du voyage ; ça embarque. Rien de plus déplaisant que de s'y rendre en coup de vent, accompagné d'un ami qui ne partage pas ce goût, d'y passer comme dans un corridor dont on n'ouvrirait aucune porte. La chine nécessite d'être physiquement là, attentif comme un chien de chasse. Soudain arrêter sa marche, se figer puis passer en revue lentement le stand avant de s'y engager, si l'on sent la trouvaille, ou de passer son chemin.

La chine est histoire de nez, de flair, devrais-je dire. Il y a des sorties du dimanche matin d'où je rentre bredouille ; cela ne tient pas aux vendeurs mais à mon attention du moment, à ma disposition. Pour la routine compulsive, en semaine, il y a désormais eBay. Nul besoin de quitter sa table et son écran.

Certains soirs de manque, ne tenant plus, j'y vais une heure ou deux, j'achète en deux clics : une photographie « vintage » – un minuscule cliché pris par un voyeur allemand de sa voisine nue dans son jardin, la photographie de l'arrestation d'un bandit à Naples au début des années 1970 ou encore un numéro de *La Cause du peuple*.

En chine, c'est autre chose. La plupart du temps, il ne s'agit pas tant de fouiller : la bonne came n'est pas cachée mais il faut la voir. En quelques instants, du regard, faire un tri, repérer, identifier, estimer… ensuite, il faut convaincre car le dealer ne vend pas à n'importe qui ; il y a mes vendeurs habituels, ceux qui me connaissent et accepteront en bons commerçants de combler mon envie : le marchand d'affiches politiques, celui d'images anciennes… Mais la véritable trouvaille nécessite de sortir de la routine, de s'aventurer et de risquer un refus. Je songe souvent à la pièce de Bernard-Marie Koltès, *Dans la solitude des champs de coton* : une interminable scène d'échange sur le trottoir d'une ville, et dans cette transaction jamais définie ni nommée une forme singulière de relation.

Si l'histoire s'est beaucoup intéressée aux lieux du commerce, à l'organisation et à la tenue des foires, des marchés, au développement des petites échoppes, aux vendeurs, célébrés dans les métiers de Paris – du crieur à la marchande de quatre-saisons –, elle a peu tenté d'étudier ces formes de vente à la sauvette, équivalent légal du vol du même nom. Le prix n'est pas fixe ; la relation qui s'instaure le détermine ; il y aura là des paroles, ici un regard, un signe de reconnaissance, ou, en d'autres situations, la marque d'une répulsion quasi physique. L'échange bien que portant le plus souvent sur des objets sans valeur – comparés à ceux qui sont proposés par les commissaires-priseurs dans des salles des ventes – n'est pas anodin ; il est rarement de première main mais de seconde voire de troisième. Le vendeur ne s'en débarrasse pas, il les confie.

En chine, pour que le deal puisse se faire, le plus important à mes yeux est sans doute l'environnement de l'objet : non pas tant sa rareté ou sa beauté mais la série qu'il compose avec d'autres objets, soit ceux dont on vient de faire la découverte, soit ceux qui traînent sur le même stand. Je n'achète que rarement une image, un cahier, une lettre. Je chine des lots : un mètre cube de papier sur une affaire criminelle, une pochette pleine de lettres, ou encore un album photographique. Il y a derrière ce plaisir non pas un réflexe d'historien – qui pratique les séries –, mais un rêve d'histoire, qui me vient après tous les autres, qui les coiffe, les entoure ou tout simplement les rassemble. Et déjà je rêve de faire l'histoire des objets de ma chine : savoir d'où ils viennent, qui les a produits, manipulés, utilisés, qui en est le dernier propriétaire, pourquoi il s'en est séparé, etc. Autrement dit, je rêve de *faire l'enquête*, comme disait l'autre.

lieux

IMMEUBLE

On devrait prendre au sérieux Georges Perec et sa *Vie, mode d'emploi* en dressant la monographie d'un immeuble. Il s'agirait de faire l'histoire d'un lieu sur plusieurs centaines d'années à partir des traces qu'ont laissées ses habitants dans les archives mais aussi des récits oraux qu'ils pourraient en faire. On s'inspirerait des travaux menés il y a quelques années par des sociologues sur un immeuble du boulevard de la République à Marseille dans une perspective urbanistique. À travers cette monographie, ils voulaient montrer combien cette rue associait des histoires très diverses, mais ils ne cherchèrent pas à les mettre en relation. Aussi, l'objet de notre étude serait d'appréhender la manière dont les occupants d'un immeuble vivent ensemble, de mieux comprendre, en somme, la coexistence. On écrirait la biographie d'un numéro de rue.

La biographie est le pire des genres historiques. Elle est même parfaitement contraire à la démarche historienne, le temps historique ne coïncidant pas avec le temps biologique et le parcours d'un seul ne pouvant être significatif. Pourtant, il s'agit des travaux les plus lus et, pour nombre de lecteurs, de l'image modèle du livre d'histoire. Contribuer à sa chute constitue le devoir de tout historien. Aussi, choisir d'associer en un même récit des histoires multiples et construire à partir d'eux le récit de la vie d'un bâtiment pourrait participer de ce mouvement. Conserver la façade et détruire le reste.

En faisant des sondages dans les dossiers de police, on s'aperçoit qu'il n'est pas rare que pour une même maison plusieurs enquêtes aient été menées au cours des deux cents dernières années. La création de la brigade des mœurs au début du XXe siècle et les archives qu'elle produisit pendant au moins soixante années sont une aubaine pour un tel projet. Ces enquêtes sont en effet d'une très grande utilité pour identifier qui occupait les appartements, quels commerces étaient au rez-de-chaussée, quel artisan dans la cour. On peut ainsi assez facilement repérer la population de l'immeuble à des moments différents et caractériser de manière assez précise les pratiques sociales de chacun des habitants : il y a toujours le délateur, la victime et le coupable désigné. Ces affaires, surtout lorsqu'elles sont criminelles, font remonter tout un ordinaire du ressentiment social dont le théâtre principal est la cage d'escalier. La figure du concierge est, dans cette histoire, centrale.

Pour développer une telle enquête, il conviendrait de convier des historiens, des sociologues et des ethnologues. Tandis que les premiers fouilleraient les archives – police, voirie, copropriété –, les autres sonneraient aux étages, s'entretiendraient avec les résidants, relèveraient l'ensemble des écritures exposées dans les parties communes, tenteraient de retrouver d'anciens habitants… Transformer l'immeuble en un champ de fouilles et en extraire jusqu'au moindre fragment d'histoire.

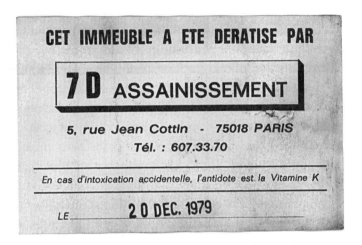

Comment choisir l'immeuble? On éviterait le hasard : une plongée dans les archives étant toujours profondément aléatoire, on procéderait par sondage en commençant par la couche la plus profonde, le XVIIIe siècle. On essaierait de choisir un immeuble ayant eu un cabaret sur rue; d'abord parce que les débits de boissons sont le théâtre d'événements qui intéressent la police et produisent des archives, ensuite parce qu'ils demeurent souvent pendant de longues périodes à une même adresse. Il pourra évidemment arriver que l'immeuble ait disparu, ait été remplacé par un garage ou un cinéma. C'est d'ailleurs le cas le plus fréquent, car même si on conserve les bâtiments de longues années, ravalement après ravalement, on détruit aussi beaucoup.

Il faudrait ainsi partir à l'assaut de plusieurs immeubles. Une armée de chercheurs fouillerait les poubelles, sonnerait aux portes, faisant sourdre des histoires individuelles une histoire collective. À un ami, adjoint à la culture d'une grande ville de la banlieue parisienne, j'avais proposé de composer autour d'une grande esplanade un album géant formé des clichés de chaque concitoyen : une histoire populaire de cette ville, au sens de l'historien américain Howard Zinn.

Il va de soi que cette campagne s'accompagnerait d'une autre série de recherches dans les archives, des recherches plus ingrates pour traquer l'infime événement, le petit dérangement qui a provoqué l'écrit. Un immeuble est plus bavard qu'on ne le croit. Les comptes rendus d'assemblée générale de copropriétaires, les dossiers des syndics recèlent nombre d'informations. Ils portent l'expression de minuscules relations de pouvoir, de petites guerres d'escaliers, mais aussi des rapports avec la municipalité. Il va de soi que ces rapports ont une histoire, parallèle à celle de la constitution de l'espace public.

Dans cette perspective, les fenêtres, les portes et tous les espaces qui séparent le privé et le public seraient intéressants à étudier. Ce que l'on nommait au XIXᵉ siècle le «racolage à la fenêtre» relève de ce grand partage. Des ouvertures donnant sur la rue, des femmes faisaient des signes aux passants qui envahissaient l'espace partagé, en provoquant du désordre : des hommes s'arrêtaient, formant un attroupement, des enfants interrompaient leurs jeux… Les ouvertures sont aussi de formidables observatoires : de certaines fenêtres, on voit comme d'un donjon, et l'on peut imaginer que lors de certains événements, elles ont joué un rôle à la fois de défense et d'attaque. Enfin, il y a la porte, sur laquelle sont écrites tant de choses au fil du temps. Écrits éphémères, comme les billets placés la nuit à l'insu de tous et qui menaçaient le propriétaire, écrits plus récurrents, comme ces mots de la concierge indiquant son absence ou ceux gravés à la sauvette – insultes, initiales, cœur percé d'une flèche –, mais aussi écrits interdisant l'accès de l'immeuble à telle ou telle corporation. Les portes conservent aussi toute une mémoire sonore, celle des coups frappés contre elles par des agents de la sûreté, par des miliciens ou des gendarmes... Cette mémoire peut être lue dans les traces de chocs, la peinture éclatée, etc.

Faire l'histoire d'un immeuble ne consisterait donc pas seulement à enquêter auprès de ses habitants et sur leurs écrits, mais aussi à entreprendre une véritable étude d'éthologie historique, avec les outils appropriés et, si besoin, aussi performants que ceux de la police scientifique. Retrouver, pour écrire son histoire, pour documenter les plus petits actes, la moindre empreinte, la plus infime trace, la plus petite tache.

LABORATOIRE

Nous sommes entrés dans un régime de tout-archivage. Il n'est pas aujourd'hui un village qui n'ait son écomusée, pas un écrivain qui n'ait sa maison d'écrivain – la bonne nouvelle c'est que même Céleste Albaret, la domestique de Proust, a un tel lieu en Lozère, non loin de La Canourgue –, pas un groupe d'individus qui n'ait des archives et qui ne veuille les déposer dans une institution, de préférence prestigieuse. Chacun tient désormais à sa mémoire et veut son petit monument. La maladie d'Alzheimer comme mal absolu. Les Archives nationales ont ainsi accepté pour la première fois de leur histoire et en dépit de ce qui les fonde – l'unité et l'indivisibilité de la nation – d'ouvrir une enclave hors du site du CARAN au Mémorial de la Shoah pour abriter le «fichier juif». On peut donc s'attendre que demain les Martiniquais réclament les archives de la traite négrière, les homosexuels celles de la police des mœurs, etc.

Dans plusieurs municipalités socialistes ont été nommés des adjoints à la mémoire. Ils ont pour tâche de veiller à toutes les commémorations relatives aux minorités visibles et invisibles. Pouvoir extraordinaire que d'inscrire ou non au calendrier tel ou tel événement. On a vu la difficulté de la chose quand il a fallu choisir une date pour commémorer l'abolition de l'esclavage. Il existe en outre un calendrier dont un service de Matignon a la charge et qui inscrit les commémorations au niveau national. On peut ainsi établir une contre-liste et décider de célébrer soit ce qui n'a pas encore eu lieu – la naissance d'un futur grand écrivain, la fin du conflit israélo-palestinien, l'abolition des frontières… –, soit ce que l'histoire nationale n'a pas voulu retenir : l'exécution de Damiens, la désertion de tel soldat de l'Empire, la révolte des Canuts, l'incendie du Crédit agricole, la mutinerie de la prison de Toul…

Comme le note Régine Robin, la mémoire est devenue, dans nos sociétés, une valeur tellement centrale, incontournable, que nul ne peut y échapper. On peut se demander où cette injonction à la conservation sans limites nous mènera. En effet, les innovations technologiques en matière de numérisation sont telles que, peu à peu, les bornes autrefois imposées à l'archivage disparaissent. À Varsovie, on peut se rendre compte de cette centralité en visitant l'immense musée consacré à l'insurrection de Varsovie – pas celle du ghetto de 1943, mais celle des patriotes polonais en août 1944. Ouvert à l'automne 2005, à l'initiative du maire de la ville, Lech Kaczyński, devenu depuis président de la République, ce musée de plusieurs centaines de mètres carrés fait revivre aux visiteurs le mois de l'insurrection qui a coûté la vie à deux cent mille Polonais. Du bruit des bombes qui tombent du ciel à l'imprimerie clandestine et aux tombes des combattants, l'ensemble produit une impression de vrai-faux particulièrement troublante. On en vient à se recueillir devant des fosses communes fictives. Tout se passe en somme comme si les concepteurs du musée avaient voulu reproduire ce qui avait fonctionné pour les bâtiments, avec la reconstruction à l'identique, dans les années 1950, du centre-ville, et son classement il y a quelques années au patrimoine mondial de l'Unesco ; le faux quartier historique, et notamment le château, était devenu un véritable « patrimoine mondial ». La grosse différence est que dans le cas de l'insurrection, il ne s'agit pas de pierre mais de personnes... et qu'on ne remplace pas ainsi les morts.

Afin de satisfaire à l'impératif de mémoire, on peut aussi décider de procéder à la manière du musée roumain de Bucarest ou du Village historique acadien du Nouveau-Brunswick, au Canada. À Bucarest, dans les années 1930, on a fait venir de chaque région une ferme et ses occupants, de telle sorte que pendant quelques années des paysans de toute la Roumanie ont cohabité sur un terrain commun, un peu comme au Salon de l'agriculture de la porte de Versailles, où, une semaine par an, tous les paysans français se retrouvent avec leurs animaux. On pouvait ainsi découvrir en un même lieu toutes les campagnes roumaines. Mais des conflits ont fini par éclater et tout cela a très vite tourné au cauchemar. Au Canada, les choses se passent plus pacifiquement, car le soir tout le monde rentre chez soi. Dans un grand parc, un village du XIXe siècle a été reconstruit soigneusement – pas un détail ne manque, jusqu'à la poste où le visiteur peut envoyer un pli. À la différence des autres musées de civilisation, les objets sont ici animés par des acteurs : on coupe le bois, on cultive la terre, on fait l'école… pour de faux. Si ça marche, c'est qu'il s'agit pour les descendants des Acadiens de témoigner de leur histoire. Ils jouent à être leurs ancêtres…

Mais la visite de ces deux musées ne m'a pas satisfait. Dans le cas roumain, les paysans sont vite repartis, dans le cas acadien, ils rentrent chez eux le soir pour regarder la télévision. Il faudrait proposer un processus plus radical encore de conservation. La formule serait sans concession avec le présent.

On logerait gratuitement dans un immeuble des individus : célibataires, couples, familles.

Chaque appartement serait équipé d'un matériel d'enregistrement audiovisuel, de telle sorte que caméras et micros capteraient leurs moindres paroles, leurs plus petits gestes. Seules les chambres et les salles de bains resteraient des zones sans mémoire. Mais on proposerait à tous les habitants, pour une somme consistante, de porter des lunettes équipées d'une microcaméra ainsi qu'un capteur cardiaque. Grâce à cet appareillage, il serait possible de garder trace des perceptions et des émotions.

Tous les cinq ans, un appartement devrait être abandonné par ses habitants. En partant, ceux-ci seraient dans l'obligation de laisser toutes leurs archives domestiques (factures, fiches de salaire, reçus divers…) et personnelles (correspondance, disques durs d'ordinateurs…). On procéderait alors à l'inventaire général des objets laissés.

Au terme de trente années, l'immeuble entièrement vidé

de ses habitants, les appartements étudiés par les chercheurs en sciences sociales, l'ensemble des objets inventoriés, le site pourrait accueillir des visiteurs.

Il va de soi que les cobayes seraient volontaires, mais qu'ils devraient former un échantillon particulièrement représentatif de la société française, en fonction de critères sociaux, religieux, sexuels, ethniques... Il va de soi aussi que l'anonymat n'y serait pas respecté ; impossible de garantir cet élément, car pour faire mémoire, il faut nommer. Imagine-t-on un monument aux morts sans noms ? Il va de soi, enfin, qu'aucun départ non programmé ne serait accepté. La mémoire coûte que coûte. Il ne s'agirait donc pas d'un musée des arts populaires, ni d'un musée de civilisation, mais de la Grande Galerie de l'Ordinaire.

Comme antidote au tout-mémoire, je propose que l'on suive la perspective ouverte par l'œuvre d'art contemporain *24 h Foucault* de Thomas Hirschhorn. Les seules archives présentées au Palais de Tokyo les 9 et 10 octobre 2004 étaient des feuilles de papier à en-tête de « Michel Foucault, Professeur au Collège de France », vierges de toute écriture, ainsi que des cartes de visite avec son adresse personnelle.

Le geste était salutaire dans le contexte muséographique actuel. Il n'est pas une exposition qui ne montre des manuscrits, des brouillons et autres écritures. La Bibliothèque nationale s'est faite la spécialiste de ces étalages de papiers griffonnés par des illustres. La récente exposition Jean-Paul Sartre était ainsi l'occasion de montrer aux visiteurs ses trésors manuscrits : Sartre, Beauvoir, Genet, Camus... un beau livre. Thomas Hirschhorn et Daniel Defert avaient pris le parti contraire.

Ils ont poussé leur geste jusqu'à choisir d'exposer sous les vitrines de Plexiglass scotchées des buvards du philosophe. On y devinait des mots, mais parfaitement illisibles. Les buvards des écrivains sont comme l'ardoise magique de Freud, ils conservent une mémoire et font palimpseste. Mais ce qui me plaît aussi c'est qu'ils produisent du mystère.

Au printemps 2005, je tombe, dans une brocante au stade Charléty, sur un lot de buvards usagés. J'hésite un long moment à les acheter pour constituer des sources d'une histoire qui serait celle de l'effacement. Car le buvard fixe autant qu'il enlève. Il est, aussi, un objet d'écriture en voie de disparition : voilà bien longtemps qu'ils sont sortis de la liste des fournitures scolaires ; en fabrique-t-on du reste encore ?

On pourrait aussi recenser toutes les techniques de correction, comme ces petites pastilles que l'on collait sur la page dactylographiée pour corriger une mauvaise frappe. Pour la période moderne, Roger Chartier a ainsi sorti de l'oubli des *notebooks* évoqués par Shakespeare et Cervantès. Il faut, et la tâche est bien plus aisée, mener ce travail pour la période contemporaine. Inventorier l'ordinaire de l'effacement.

ENTRE-LIEUX

Le dernier texte que Michel Foucault a publié de son vivant, en 1984, porte sur ce qu'il nommait les hétérotopies. Il est tiré d'une émission de radio qu'il réalisa dans les années 1960. Ce texte *Des espaces autres* a connu un vif succès chez les architectes en raison de la typologie des lieux qu'il proposait. Par hétérotopie, Foucault entendait des espaces comme la bibliothèque, la prison, l'asile, le navire, la colonie... Des espaces très différents, donc, des utopies : « Des lieux effectifs, des lieux qui sont dessinés dans l'institution même de la société, et qui sont des sortes de contre-emplacements, sortes d'utopies effectivement réalisées dans lesquelles les emplacements réels, tous les autres emplacements réels que l'on peut trouver à l'intérieur de la culture, sont à la fois représentés, contestés et inversés, des sortes de lieux qui sont hors de tous les lieux, bien que pourtant ils soient effectivement localisables. »

Depuis les années 1970-1980, les hétérotopies ont fait l'objet de nombreuses études. *Les Révoltes logiques* animées par Jacques Rancière et le CERFI, avec Félix Guattari, les ont beaucoup explorées. En relisant ce texte de Foucault, je songe à des lieux délaissés par les chercheurs, à ces lieux qui bordent les hétérotopies, à ces entre-lieux qui font, en somme, office de sas. Il y a une résistance des sciences sociales à tout ce qui est au milieu : les escales, les couloirs, etc.

Il en va de même des cafés situés en face des prisons. À Fresnes, cet établissement s'appelait *Ici c'est mieux qu'en face*, à Paris, *La Santé*. Mais l'un comme l'autre ont aujourd'hui disparu. Avant que ne ferment toutes les vieilles prisons de centre-ville, il faudrait étudier ces entre-lieux qui jouaient, il y a encore quelques années, des fonctions multiples : c'est là que les familles pesaient les colis alimentaires, là, aussi, qu'on déposait les sacs de linge ; surtout, il s'y partageait tout un savoir sur la prison et la justice : les familles de prisonniers s'échangeaient des informations, se donnaient des conseils...

Les épiceries et les bars des ports occupaient de semblables fonctions, de même que les comptoirs des colonies. Les ethnologues des sociétés maritimes ont beaucoup écouté dans les cafés des bords de quais les récits au long cours : tempêtes, pêches miraculeuses... Mais rarement, je crois, ils ont pris en considération ce lieu d'énonciation qu'est le comptoir du café maritime. Comment circule l'information ? Qui écoute-t-on ? Quelle place la parole féminine peut-elle y prendre ? Ces sas fonctionnent en effet de manière très spécifique : le licite et l'illicite s'y côtoient – aussi y a-t-il toujours dans le lot quelques contrebandiers –, des places sont réservées, des mots tabous ; on peut certes y entrer mais «en être» est une autre histoire.

Au XIXe siècle, les comptoirs des colonies, ceux où passa Rimbaud dans l'océan Indien, mais aussi ceux de

Cochinchine, du Soudan français, étaient de même nature : ils n'étaient pas la métropole, mais ceux qui y passaient y trouvaient quelque chose à quoi ils pouvaient s'identifier, une sorte d'entre-deux parfaitement hybride qui les renseignait en même temps qu'il les initiait. On y partageait des expériences individuelles, on y réglait des conflits, on y trouvait du travail, aussi. C'est là, enfin et surtout, que pour échapper aux maux de l'hétérotopie éprouvée, à commencer par le paludisme et ses terribles fièvres, on venait se réfugier, trouver du réconfort. Lorsque le malade semblait incapable de guérir, il quittait le comptoir pour un navire en direction de l'Europe. Le bateau était un autre sas qui pouvait aussi constituer une hétérotopie à lui seul. Ainsi il est toute une chaîne de lieux de ce type qui composent un paysage oublié. On verrait, je crois, en l'étudiant que tous ces lieux rendaient l'existence de l'hétérotopie possible ; ils en étaient comme le poste avancé ou, tout au moins, la vitrine.

Il me semble que c'est exactement l'idée opposée qui est à l'œuvre dans la figure du neutre. Au terme d'*Homo sacer*, le philosophe italien Giorgio Agamben évoque rapidement le concept de neutralité pour en souligner l'importance dans notre modernité. Annette Becker, dans son ouvrage sur la Croix-Rouge, fait l'analyse de caricatures sur lesquelles apparaît un personnage sans visage : le Suisse / le neutre. Le conflit irakien fut peut-être le théâtre de la mort du projet d'une neutralité régulatrice.

Il faudrait, en poursuivant ce travail sur les hétérotopies, faire l'histoire de la figure du neutre et de ses représentations.

L'intérêt d'une telle étude serait d'appréhender cette notion sur une grande période : du xviiie à aujourd'hui. On verrait sans doute que la neutralité n'a pas été pensée seulement comme une attitude défensive : dans l'histoire de la guerre au xxe siècle, elle a en effet été constituée en un tiers quasi incontournable. Souvent dénoncée, la neutralité est demeurée une valeur forte, accompagnée de pratiques. Elle a son drapeau – il est blanc – et sa géographie – la Suisse et la Suède, vite détrônées par les organisations internationales, à commencer par les Nations unies.

Le neutre se décline aussi au civil. Nos sociétés ont développé toutes sortes de positions de neutralité pour limiter les conflits ou les étouffer. Du juge de proximité à l'éducateur, le médiateur connaît aujourd'hui son âge d'or.

Les Éditions du Seuil ont récemment publié le cours de Roland Barthes sur le neutre. En en prenant connaissance, je suis frappé par la dimension purement esthétique de la perspective de l'auteur des *Mythologies*. Or, il me semble qu'une histoire politique du neutre à la manière dont Olivier Razac a écrit une histoire du barbelé pourrait être éclairante.

LIEUX D'OUBLI

Une amie m'a remis il y a quelques mois une cinquantaine de photographies prises par son père aujourd'hui décédé. Le père de F. était psychiatre. En 1960, à deux reprises, il a pris en photo ce qu'il voyait dans les asiles de Perray-Vaucluse et de Tunis. Il a voulu saisir sur la pellicule ces lieux et ceux qui y étaient internés. Les clichés montrent des patients à même le sol, dans un total dénuement. Dans le geste de ce médecin, il y eut sans doute la volonté de faire savoir l'intolérable, à la manière des militants du Groupe information asiles (GIA) fondé dans les années 1968.

Lors d'un séjour à Trieste, je mesure le rayonnement de la figure de Franco Basaglia, le psychiatre de la loi 180 ayant entraîné la fermeture des asiles au début des années 1980 en Italie. Mais dans cette ville, tout le monde connaît l'hôpital San Giovanni, bien qu'il soit fermé depuis vingt-cinq ans. Une mémoire de l'asile a été transmise, une mémoire vivante qui s'incarne dans la présence, au cœur de la ville, des anciens patients. L'histoire de la folie ordinaire qu'évoquait la belle saga de Marco Tullio Giordana, *Nos meilleures années*, est devenue une sorte de patrimoine : la carte postale alternative de la cité où séjourna Joyce. Trieste est cependant une exception.

Les asiles, mais aussi les hôpitaux et les prisons, sont, à l'inverse des lieux de mémoire étudiés par Pierre Nora, des lieux d'oubli. Des photographies sont prises lors de leur inauguration, et puis ensuite plus rien. Un peu comme si, pour un individu, on s'arrêtait à la photographie de sa naissance. Ainsi, quand au milieu des années 1970, Michel Foucault, Michelle Perrot et quelques autres manifestèrent contre la destruction de la Petite Roquette, on se moqua : ceux qui voulaient la disparition de l'institution carcérale, voilà qu'ils en demandaient la conservation. Les manifestants, attentifs à la patrimonialisation, voulaient simplement que n'en soient pas exclues les cases noires de notre modernité. Ils avaient parfaitement conscience que la mémoire devenait un enjeu politique central : en être privé signifiait devenir invisible.

Aujourd'hui, on ferme la grande majorité des prisons des centres-villes et, dans la plupart des cas, ces bâtiments vont être détruits. On ne peut pas, bien sûr, tout conserver, mais ne faut-il pas voir dans ces destructions une volonté de taire, d'effacer ces institutions du paysage ? L'intention n'est évidemment pas d'en finir avec l'enfermement, mais de placer ces bâtiments loin des yeux.

L'administration pénitentiaire prévoit ainsi dans les prochaines années de détruire une grande partie de la prison de la Santé. Pour qui vit dans les XIIIᵉ et XIVᵉ arrondissements de Paris, la prison – la rumeur qui s'élève de la cour, mais aussi le continuel ballet des voitures de police et des camions de l'administration pénitentiaire – est une présence incontournable : en passant devant ses hauts murs on ne peut l'ignorer. Qu'en sera-t-il quand une résidence d'appartements de standing l'aura remplacée ? Plus que jamais l'emprisonnement sera caché. Plus besoin d'expliquer à nos enfants avec gêne et maladresse pourquoi on prive de liberté derrière des murs lépreux des hommes et des femmes.

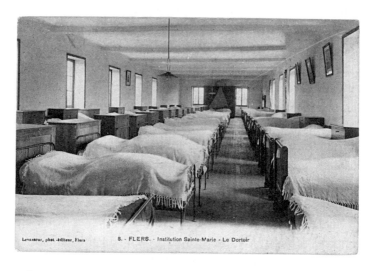

Levasseur, phot.-éditeur, Flers   8. - FLERS. - Institution Sainte-Marie - Le Dortoir

On pourrait imaginer des plaques qui signaleraient qu'en tel lieu une prison avait été édifiée et qu'elle fut en activité de telle à telle année. On pourrait aussi inscrire sur un tel monument les noms de ceux, gardiens et détenus, qui habitèrent ces murs... Comme à Ellis Island, au large de Manhattan, où chaque migrant a son nom inscrit sur de grandes stèles. On sait aussi combien la question de la nomination est complexe ; lors de l'installation du mur des noms au Mémorial de la

Shoah, dans le Marais à Paris, l'oubli de certains déportés a provoqué de véritables drames. S'agissant d'enfermements de droit commun, on voit d'ici les problèmes que cela soulèverait et les résistances qu'il faudrait vaincre. Le site du bagne de Guyane pourrait être choisi pour expérimenter cette écriture. Lorsqu'en 1995, lors d'une mission pour le Conseil national du sida, nous avions visité, Alain Sobel et moi, le camp de Saint-Laurent-du-Maroni en sortant de l'hôpital, j'avais été troublé par l'installation, dans les anciens baraquements du bagne, d'un centre de formation pour les jeunes Guyanais – une jeunesse qui, quelques mois auparavant, avait manifesté son désarroi lors de violentes émeutes. J'avais aussi été très mal à l'aise à l'écoute du discours de notre guide : il semblait signifier que tout ce qui s'était passé là relevait du normal. L'horreur comme banalité, et le sort des bagnards comme question annexe. On ressent cela de manière plus forte encore – comme quoi, même inconsciemment, des échelles de souffrances fonctionnent – lorsqu'on entreprend de visiter une plantation dans le sud des États-Unis ou aux Antilles : les guides montrent du doigt un espace derrière la maison où les esclaves vivaient, mais s'arrêtent de longues minutes sur la ceinture du maître avec laquelle ils étaient battus. On éprouve aussi ce sentiment en Pologne, lors de la visite des camps de concentration, quand on découvre que ce qui compte pour les guides est davantage les instruments de l'extermination que les hommes qu'ils ont fait périr. Visite d'une usine plus que d'un camp d'extermination, au point de se demander si cela ne relève pas encore de l'entreprise de déshumanisation des nazis.

Il faudrait surtout étudier la manière dont on a «fait oubli» – par opposition à «faire mémoire» – d'un certain nombre de lieux. Analyser les procédures d'oubli plus que celles de commémoration serait une première étape. On s'intéresserait aux strates d'archives les moins épaisses, aux étagères vides. On pourrait aussi aller voir les demandes rejetées chez ceux que Stéphane Michonneau nomme les *Entrepreneurs de mémoire* : pour construire un monument, on suit des procédures, on recherche des souscripteurs, on soumet des projets. Un certain nombre d'entre eux ne voient jamais le jour. Tout le rebut de nos mémoires collectives. L'objet de cette histoire ne serait en effet pas le refoulé en tant que tel, mais le refoulement : la manière dont il s'est opéré, quels en ont été les acteurs, les procédures. On verrait, je crois, qu'il y a des institutions plus que d'autres portées à l'oubli. On verrait surtout combien il existe une politique d'amnésie sociale qui vise à opérer une série de trous de mémoire. Il ne faut voir là-dessous aucun complot, simplement un fonctionnement social propre à nos sociétés contemporaines. Les attaques dont font l'objet les historiens assez régulièrement participent de ce fonctionnement. L'historien, grain de sable, et l'histoire comme science à faire des nœuds de mouchoir.

LE SAUVAGE DU VAR

En préparant un séminaire sur la guerre et la notion d'ennemis intérieurs au XIXᵉ siècle, sur ceux qu'on appela les *apaches* et qui n'étaient rien d'autre que des petits loubards qui traînaient en bandes près des barrières et de la zone, je consulte des revues médicales de l'époque et y découvre une galerie de portraits photographiques de patients souffrant de sentiment de persécution. L'un d'eux, « très paranoïaque », a couvert ses vêtements de curieux ornements, sa tunique ressemblant à une des sculptures d'Étienne-Martin. Je tombe ensuite sur un étrange article dans les *Annales médico-psychologiques* : en 1865, on a découvert non loin de Hyères dans le Var, au milieu de la forêt de pins, un homme sauvage. L'individu vivait depuis plusieurs mois en ermite dans les forêts de la région, se nourrissant des produits de la nature et cultivant ses poils et cheveux.

Intriguée, l'Académie de médecine dépêcha le professeur Cerise qui rendit immédiatement visite au « sauvage du Var ». On photographia le personnage et le médecin l'interrogea sur le sens de cette existence hors du monde, au plus près de la nature. Le « sauvage » répondit avec plaisir aux questions de son visiteur et ne manqua pas de lui montrer la manière dont il vivait. Et le professeur de s'en retourner à Paris lire son rapport devant l'Académie :

« C'est un homme de moyenne taille, bien conformé. Il est couvert pour tout vêtement, d'un caleçon de toile de coton descendant au bas de la cuisse [...] Sa barbe et ses cheveux sont extrêmement abondants, ont de 60 à 70 centimètres de long. »

Ce rapport est un monument de narration scientifique. Il en dit autant du regard que ce médecin porte sur l'altérité que constitue cet original varois que sur le personnage lui-même.

Témoin, cet étrange dialogue qui pourrait être l'œuvre d'un Rousseau :

« Pourquoi vous arrangez-vous ainsi la tête ?

— C'est pour attacher ma barbe et mes cheveux qui me gêneraient dans le travail parce qu'ils sont très longs.

— Dans quel but les couvrez-vous de cette épaisse couche de poix ?

— Pour les coller tous ensemble et les empêcher de se perdre en passant dans le bois.

— Vous y tenez donc beaucoup ?

— C'est mon trésor.

— Pourquoi avez-vous pris ce genre de vie ?

— Pour me rapprocher le plus possible de la nature.

— Qu'entendez-vous par la nature ?

— C'est le travail pour soi, sans abuser du corps, qui rend l'homme heureux et la nature satisfaite. »

Mais il y aurait plus généralement, je crois, nécessité d'enquêter sur les expériences de vie singulière au XIXe siècle. Trop souvent, elles sont considérées par les historiens – reprenant en cela le discours des observateurs de l'époque – comme relevant de la psychiatrie. Ces tentatives de vivre autrement doivent être prises au sérieux, car pour certaines d'entre elle, il s'agit de faire de sa vie une œuvre d'art. Elles relèvent d'une esthétique de l'existence en rupture avec les modes de vie des contemporains. Autrement dit, il faudrait aussi les étudier, même minimes, pour saisir l'épaisseur de la société française du second XIXe siècle.

L'histoire des Amériques – et singulièrement certaines de ses pages les plus sombres – est riche de ces inventions de vie. Ainsi en est-il de l'esclavage. Un certain Henry Brown, né en 1815 en Virginie, était devenu célèbre en s'enfuyant à l'Est, caché dans une caisse de colis postal. Il avait réussi, plié en quatre, à passer du côté de la liberté. Cet exploit fut à l'époque largement conté dans les journaux, avec de belles illustrations montrant Henry sortant de sa caisse. Comme c'était souvent le cas alors, des abolitionnistes ont proposé de publier l'autobiographie de Henry Brown, qui était devenu, caisse oblige, Henry Box Brown. Son récit de vie, qui parut en 1851, soit deux ans après son évasion, comptait sept chapitres et s'achevait par une chanson / complainte que l'auteur avait lui-même composée :

Here you see a man by the name of Henry Brown,
Run away from the South to the North
Which he would not have done but they stole all his rights,

But they'll never do the like again.
Chrorus – Brown laid down the shovel and the hoe,
Down in the box he did go;
No more slave work for Henry Box Brown,
In the box by express he did go [...]

Ce récit, qu'aucun éditeur français n'a jamais jusqu'ici jugé bon de traduire, fait aujourd'hui partie des classiques de la littérature autobiographique de l'esclavage. Mais l'histoire de Henry ne s'arrête pas là. Une fois son récit publié, il a utilisé celui-ci dans un spectacle qui a tourné sur la Côte Est, puis en Europe. Ce show, *Mirror of Slavery*, était un panorama. Brown avait fait peindre une série d'images illustrant son histoire, depuis sa naissance dans la plantation jusqu'à son évasion. Dans les foires, les gens payaient pour venir voir ces images sur lesquelles Henry racontait sa vie. L'esclave contorsionniste y côtoyait la femme à barbe et l'homme canon. L'histoire finit mal : associé à un escroc, Henry, qui avait réussi à faire de son histoire un spectacle, sombra et mourut dans la misère. Reste ce que des historiens américains ont retrouvé : quelques planches et le récit autobiographique. À jamais disparue, la voix de Brown narrant son esclavage et sa libération; également disparu, cet étrange dispositif audiovisuel qu'il avait inventé et qui, selon les témoins, fut un formidable outil abolitionniste : «*A perfect fac simile of the workings of that horrible and fiendish system. The real life-like scenes presented in this panorama, are admirably calculated to make an unfading impression upon the heart and memory, such as no lectures, books, or colloquial correspondence can produce*».

Parmi les nombreuses inventions de modes de vie dont le
XIXᵉ siècle fut le théâtre et dont on a conservé une trace, il y a
le récit d'un travestissement que le docteur Henri Legludic a
publié dans ses *Notes et observations de médecine légale* en 1895,
et qui s'intitule *Confidences et aveux d'un Parisien*. L'homme
dont la vie est narrée se faisait appeler « la Comtesse ». Il chantait
dans des cabarets et se faisait entretenir par des hommes. Son
récit recèle une immense tristesse tant son sort fut abominable
lorsqu'il fut arrêté(e) pour prostitution et conduit(e) à Mazas.
Mais, dans son autobiographie, il souligne combien le fait
de s'habiller en femme fut pour lui une source de bonheur :

« Il est un acte de ma vie qui me rendait si heureux, qu'à
lui seul, il anéantissait tous mes regrets, tous mes chagrins, du
moins momentanément. Mais j'assure qu'[…] il m'a toujours
été un grand motif de consolation. Cet acte fut la réalisa-
tion de mon rêve étrange, de paraître ce que je n'étais pas. Le
goût d'être en femme, de passer aux yeux de tout le monde
pour une femme élégante, lorsqu'il fut réalisé, me causa
tant de plaisirs, donna tant d'adoucissements à mes regrets,
que je souffre aujourd'hui de ne pouvoir encore porter ce
costume ; il m'a causé des satisfactions indicibles. Je dois à ce
rôle les seules parcelles de bonheur que j'ai éprouvé durant
cette carrière coupable. Ami du beau que j'ai toujours été, je
déplore la mesquine constitution dont la nature m'a doué. »

La Comtesse, avec le sauvage du Var et Henry Box Brown,
compose un embryon d'histoire, celle de déprises de soi, en
somme d'actes parfois minimes de déplacement.

LE SALAUD D'YEU

Il y a en France des dizaines de musées privés qui ne doivent leur existence qu'à la volonté et à l'énergie d'un homme. Par passion, parfois par devoir, ces conservateurs sans titre ont érigé des collections étonnantes. Ainsi, à Beaufort-en-Vallée, non loin d'Angers, une jolie bâtisse abrite d'hétéroclites pièces collectionnées par un érudit local, Joseph Denais (1851-1916) : la momie égyptienne y voisine avec les oiseaux empaillés, les armures médiévales avec des portraits d'aristocrates... Ce qui est exposé est censé, comme les jardins à la française du XVIIIᵉ siècle, ou les cabinets de curiosités, représenter le monde en son entier. Désir d'exhaustivité autant qu'envie de partager sa passion du voyage, de l'histoire et de l'art. Ces installations ne sont pas sans vertus pédagogiques. Le musée de Brooklyn est conçu sur ce même modèle : un visiteur consciencieux aura vu en une même visite un bas-relief pharaonique, une commode datant de l'indépendance des États-Unis et la photo d'un graffiti sur un wagon de métro. La force de ces musées est d'être formidablement attractifs, car on s'y ennuie rarement : il y a toujours de l'insolite dans la salle suivante.

Un soir d'été, j'ai ainsi vu des familles entières de New-Yorkais déambuler joyeusement de salle en salle. Je pense par exemple à cette jeune fille riant aux éclats, assise par terre au pied d'une vitrine de masques funéraires ; je me souviens aussi de deux femmes noires qui s'étaient confortablement installées face à l'un des deux Matisse que compte le musée – un bouquet de fleurs – et qui en sa compagnie tenaient salon. Ce tableau, par la scène qu'il avait ainsi produite, m'a soudain paru avoir un intérêt renouvelé. Les musées historiques ont souvent un même pouvoir : à partir d'une série limitée d'objets totalement hétéroclites, ils dessinent un récit. À Santiago du Chili, sur la grande place carrée où les immigrés péruviens se réunissent, non loin des cafés Haiti où l'on boit l'expresso sur un zinc et où les serveuses sont en petite tenue, le musée d'Histoire nationale offre un bel exemple de cet hétéroclisme. La demi-paire de lunettes du président Salvador Allende, retrouvée après l'attaque du palais par des putschistes emmenés par Augusto Pinochet, voisine avec des robes de soie portées par les aristocrates chiliennes du XIXe siècle.

Il y a aussi des entreprises muséales saugrenues, comme ce musée du Graffiti non loin de Pont-Sainte-Maxence, dans l'Oise, tenu par un fou des écritures exposées, où ce qui est intéressant est moins la collection que le collectionneur. Mais le plus souvent, il s'agit de musées archéologiques qui présentent des séries de pièces trouvées alentour. Dans la Somme, ce sont des archéologies du contemporain où l'on admire obus, douilles et casques du premier conflit mondial ; dans le midi de la France, des archéologies plus anciennes. Ainsi à Millau, au sud du Massif central, au pied du Larzac, un musée est entièrement consacré aux fragments gallo-romains retrouvés non loin, sur le site d'une grande fabrique datant de l'occupation romaine. Une douzaine de salles comprenant des centaines de pots de terre cuite au même motif : la Factory d'Andy Warhol version aveyronnaise.

Le musée d'histoire locale, ou mémorial, constitue une autre variante de ces musées privés. Il donne à lire un récit historique à partir du local, ces «histoires à soi» analysées par Alban Bensa et Daniel Fabre. Autrement dit, les grands événements de l'histoire nationale sont vus à l'aune de la cité, aussi petite soit-elle, et autour des grandes figures qui y vécurent. La guerre de 14-18, par ses fils morts au champ d'honneur, la guerre de 39-45 par ses résistants...

Sur l'île d'Yeu, à Port-Joinville, il est un de ces mémoriaux. Le héros du lieu est Philippe Pétain. Le Maréchal a en effet été incarcéré sur l'île, à la citadelle de Pierre-Levée, à l'issue de son procès à la Libération devant la Haute Cour de Justice. Plutôt que d'être exécuté, il a passé ses cinq dernières années sur ce caillou vendéen avant d'y être enterré dans une belle tombe blanche. Chaque fin d'été, à l'occasion de l'anniversaire de sa mort, une mini-émeute éclate entre ses admirateurs au crâne rasé et les Islais. Ce petit musée constitue comme le double de la tombe du Maréchal que le président Mitterrand faisait fleurir chaque année. Y sont exposés dans une petite pièce une quantité de documents et d'objets relatifs à Pétain.

Il faudrait étudier ce musée, essayer de comprendre comment il a été construit, suivant quel ordre les pièces sont présentées... Le fait d'y avoir placé le lit du Maréchal produit un effet troublant, comme s'il neutralisait l'ignominie du personnage; les lits, en effet, sont très populaires : celui du Roi-Soleil à Versailles est admiré par des milliers de touristes tout comme celui de Proust au musée Carnavalet à Paris. L'autre intérêt du musée réside dans le fait qu'il est consacré à un vaincu, et qui plus est à un salaud. Or, on travaille peu, en histoire, sur les salauds. Plus exactement, on a longtemps laissé ce travail aux historiens réactionnaires. J'ai ainsi très envie de suivre l'invitation de Philipe Lejeune à republier à partir du manuscrit conservé aux Archives nationales le journal de Louis XVI. La dernière édition date du XIX⁰ siècle et elle est partielle. Il faudrait, pour cette même enquête, quitter l'île d'Yeu et aller étudier le monument édifié pour les «victimes des guerres de Vendée», autrement dit, les chouans. Retrouver l'ensemble des pièces du dossier, interviewer les principaux acteurs locaux et nationaux, mais aussi faire une enquête ethnographique pour savoir qui fréquente ce lieu, avec quel état d'esprit, etc.

À l'est de l'Europe, certains nostalgiques du stalinisme ont commencé à édifier de semblables musées à la gloire du Petit Père des Peuples; cette histoire ne serait pas inutile, car en analysant ces lieux consacrés à la mémoire des salauds, on pourrait sans doute comprendre sur quoi repose leur culte. Surtout, en passant de l'autre côté, on appréhenderait de façon inédite des imaginaires qui, bien que proches, nous sont très étrangers. On toucherait peut-être enfin à cette altérité radicale.

traces

TAS DE BOIS

Tout bûcheron sait lire dans le tronc des arbres, comme le rappelle une *Encyclopédie du monde végétal* de 1970, retrouvée au fond d'un placard de l'appartement de mon enfance. J'avais, enfant, le désir de devenir forestier ; la vie en ville m'a convaincu d'un autre destin. La bibliothèque plutôt que la forêt.

Une fois l'arbre par terre, le bûcheron ne lit pas seulement, sur la souche, l'âge de sa victime, mais une histoire de la forêt. En regardant les cernes annuels, il est en mesure d'identifier les moments de croissance, rapides ou ralentis, mais il peut aussi y repérer une série d'événements, l'abattage d'un arbre voisin, un hiver rigoureux ou une sécheresse, un incendie, et même une guerre… lorsque, comme en 1914-1918, la mitraille a transpercé bien des arbres, ce qui constitue aujourd'hui encore un véritable danger pour les bûcherons.

Dans l'imaginaire occidental, la forêt est un lieu de perdition : c'est là que le Dom Juan de Molière, par exemple, perdit de sa superbe ; c'est aussi là que le Petit Poucet faillit ne pas retrouver son chemin. Mais elle est aussi très humaine, en ce sens que la mort y est présente : lorsqu'on y coupe un gros arbre, on fête son abattage et le lieu porte sur son nom («le grand sapin», «le gros chêne»). Elle conserve une mémoire collective : les forêts vosgiennes gardent encore trace de la Seconde Guerre mondiale, de l'écrasement de bombardiers canadiens, par exemple, qui longtemps firent des trouées dans le sous-bois formant de nouvelles clairières. L'arbre est comme un garde-mémoire de la forêt et le bûcheron un historien du végétal.

Aussi pourrait-on constituer les archives d'une forêt à partir d'un tas de bois. En s'associant avec des bûcherons et des forestiers, on croiserait les archives papier, les archives orales et les archives de bois.

N'en est-il pas de même de nos villes et de leurs murs? Chacun d'entre eux porte de multiples blessures, traces des événements dont il fut peut-être le sujet, en tout cas le témoin. Trous, biffures, fenêtres bouchées, graffitis masqués, plaques posées…

À Paris, cette histoire est impossible tant la patrimonialisation privée et publique est importante. Il n'est plus une pierre d'origine, plus un mur qui n'ait pas été repeint ; les murs ne parlent pas, ils se sont tus à jamais. Mais dans des villes de l'Est comme Berlin ou Varsovie, il en va tout autrement ; et c'est leur terrible charme. À chacun de mes séjours, je suis toujours frappé par la formidable épaisseur des murs varsoviens. Ainsi, dans les quelques quartiers de la capitale polonaise qui ont échappé aux bombardements allemands lors du soulèvement, il est des arrière-cours qui portent sur leurs flancs d'imposants pans d'histoire. En levant le nez, on se retrouve face à un grand tableau historique abstrait, fait de trous et d'ajouts, de lettres et de couleurs. On est comme pris d'un vertige face à ces murs qui transpirent l'histoire. Et paradoxalement, le centre historique, qui a été entièrement reconstruit à la fin des années 1950 et qui n'a donc qu'un peu plus d'un demi-siècle, conserve lui aussi cette épaisseur historique. Ses murs, en effet, témoignent de la période communiste.

On pourrait ainsi faire une histoire de ces villes au ras des murs et de leurs irrégularités. Enquêter sur le creux plus que sur le plein. La Première Guerre mondiale fut un événement total. Elle a modifié radicalement les sociétés européennes, comme le mémorial de Péronne le met en évidence. Que l'on songe simplement aux changements qu'elle a opérés dans les rapports des hommes et des femmes ; ou aux pratiques inédites auxquelles elle a donné lieu. Mais c'est d'abord, et on l'oublie bien souvent, le paysage même qui a été bouleversé.

Chez un brocanteur, je trouve un carnet de cartes postales montrant un petit village du Pas-de-Calais, avant et après 1914. Il s'agit de Saint-Laurent-Blangy. Avant, c'est un petit bourg composé de bâtiments de briques, après c'est un grand vide; pas même une ruine, un paysage presque lunaire.

« 1914 – Saint-Laurent-Blangy était un bourg prospère de deux mille habitants. Saint-Laurent purement agricole, Blangy industriel, comprenant vingt usines. Superbe vallée dont la rivière de la Scarbe baignait les propriétés historiques de Bella-motte, des Dames... Anciens domaines de Saint-Waast où se réunissaient depuis 1640 *Les Rosati,* société littéraire dont les membres venaient chaque année lire des vers et respirer le parfum des roses. Printemps 1919 – de Saint-Laurent-Blangy, il ne reste plus rien. Quarante-deux mois de bataille au cœur de la localité, plus une maison, c'est le silence de la mort. »

On pourrait bien sûr travailler sur ces grands vides et la manière dont ils ont été comblés. Les villes allemandes en 1945 seraient des cas exemplaires. Il faudrait entreprendre non l'histoire de la destruction, mais celle de la reconstruction... Que fait-on des gravats? Des buttes pour les jardins, comme à Berlin? Comment s'arrange-t-on avec le passé qui n'est plus? Ainsi ce village du Nord fit en 1918 l'objet d'un curieux contrat : il fut adopté par la ville de Versailles. Adopter un champ de ruines, comme on adopte un enfant amputé. C'est là un des premiers exemples de jumelages solidaires, mais il faudrait enquêter sur l'ensemble des modalités de cette adoption : était-elle complète? Comment procéda-t-on?

Lorsqu'en 1999 la tempête a ravagé une partie du parc du château de Versailles, on a proposé à des particuliers, mais aussi à des entreprises, de replanter le parc en adoptant chacun ou chacune un arbre... Étrange continuité de l'histoire.

ORDONNANCES

Parmi les archives domestiques, les papiers relatifs à notre santé occupent une place importante. Tout au long de la longue maladie qui paralysa mon père progressivement – il souffrit plus de cinq années durant d'une tumeur au cerveau –, ses papiers de santé formaient une imposante pile, même si la majorité des pièces demeuraient à l'hôpital de Créteil où il était suivi. Ils dessinaient une autre présence de la maladie, comme si besoin était, une présence de papier qui envahissait l'appartement de mes parents. Lorsque mon père mourut, ma mère jeta ces papiers tout naturellement. Ils n'ont pas survécu à sa mort, sans doute parce qu'ils portaient en eux une image dégradée du défunt. Pour les mêmes raisons, dans les albums de photographies, on ne trouve pas de clichés pris à l'hôpital ou au cimetière.

En situation de maladie, ces papiers sont omniprésents ; en temps normal, ils forment une couche discrète où s'entre-mêlent factures et autres relevés bancaires. Ordonnances, radios, bilans d'examens sont pourtant singuliers : ils composent les archives de notre corps, de tous ses incidents et accidents.

Alors que, depuis des années, les pouvoirs publics cherchent à imposer un carnet de santé, on ne s'est jamais, ou presque, intéressé à la mémoire que chacun organise de son propre corps. Car, que garde-t-on au juste de nos dossiers médicaux? Et quels discours justifient de conserver tel ou tel document? Qu'est-ce que cela dit du rapport que chacun entretient avec son passé? Un homme ayant vécu un épisode psychiatrique, suivi une cure de désintoxication, une femme ayant subi une interruption volontaire de grossesse conservent-ils les documents relatifs à ces événements, ou préfèrent-ils les détruire par peur que ces archives ne tombent dans les mains d'un de leurs proches, d'un employeur ou de la justice? On sait combien, aujourd'hui, le recours à ce type de pièces est fréquent dans les tribunaux lors d'un divorce, d'une affaire de voisinage... On sait aussi combien la conservation de ces traces de blessures peut être importante à certains moments dans la constitution d'une identité.

Cette mémoire des corps a une histoire. On ne conservait pas hier les documents produits par l'institution médicale comme on le fait aujourd'hui. Appréhender ce rapport des hommes à leur corps en analysant comment ils ont traité les papiers qui en faisaient état.

Deux événements semblent avoir marqué une rupture dans cette histoire : lorsque, à la fin du XIXe siècle, les accidents du travail furent reconnus, les victimes constituèrent des dossiers médicaux jusque-là inédits. De même, le retour des soldats blessés du front à partir des années 1915, et de façon de plus en plus massive au cours des années suivantes, s'est accompagné de la production d'archives personnelles du corps meurtri. Chaque «gueule cassée» est ainsi rentrée chez elle avec un épais dossier qui a ouvert d'impressionnantes archives du corps. Dans l'armoire de la ferme, à côté des actes notariés, on a placé le dossier médical du fils mutilé.

Il faudrait aussi regarder ce qui a changé dans les documents mêmes. L'usage par les médecins d'une écriture illisible n'est sans doute pas étranger à cela. N'a-t-on pas cherché pendant des siècles à tenir les sujets éloignés de leur propre histoire médicale? L'épidémie du sida à partir du début des années 1980 est sans nul doute un autre moment important de cette histoire. La personne atteinte par le VIH, se constituant comme expert de sa propre maladie, établit les archives de celle-ci. Le malade ne conserve pas seulement ce que l'institution médicale produit : il produit lui-même des archives personnelles de sa santé. Certains tiennent leur journal, d'autres des courbes de température, des autoprescriptions, etc. Tenir les archives de son corps devient aussi une manière de lutter contre la maladie et contre le pouvoir médical qui se développe avec elle.

Certains de ces journaux sont connus, comme celui de Gilles Barbedette, que René de Ceccatty a publié sous le titre *Mémoires d'un jeune homme devenu vieux*. Le manuscrit de ce texte, qui a des supports très divers, dont une série de petits carnets de tailles différentes, est très émouvant, car à mesure que la santé de Barbedette se dégrade, son écriture s'altère. Enregistrement graphique du corps. On retrouve cet archivage de la santé dans les célèbres ardoises magiques de Georges Perros (incapable de parler, le poète écrivait sur une ardoise), mais aussi dans un texte moins connu publié sous le titre *Le Pus de la plaie* par Raymond Guérin (1905-1955). Souffrant d'un cancer, l'écrivain a tenu la chronique de sa maladie. Son récit s'ouvre ainsi sur la nécessité qu'il éprouva d'écrire au jour le jour son corps malade. On m'objectera qu'entre ce type de témoignage et les radios et autres ordonnances, il n'y a pas grand rapport. Il arrive cependant que ces deux archivages s'articulent, par exemple chez cette artiste contemporaine polonaise qui, souffrant d'un cancer du sein, avait pris quotidiennement un moulage de son buste : plâtre en même temps que pansement. Archiver son corps, au cas où.

SONORES

Les ingénieurs du son, depuis plusieurs années, sont en mesure de dresser des cartes sonores de nos villes. On est ainsi parvenu à produire des paysages sonores d'une rare précision. Ces cartes sont d'étranges objets composés de couleurs plus ou moins foncées basées sur des enregistrements et une modélisation. On peut ainsi vous dire précisément, en fonction de l'heure et du jour de la semaine, dans quelle ambiance sonore vous serez. Il n'y a donc plus d'imprévu : quand vous allez dans une ville, vous pouvez repérer chacune des rues, chacun des immeubles grâce au service photo des pages jaunes sur Internet, et ensuite vous imprégner de l'ambiance sonore propre à un quartier. Cette capacité est née sans doute d'une préoccupation environnementale – la réduction du bruit. Elle aurait très bien pu relever d'un souci mémoriel. Une ville, c'est aussi une certaine atmosphère sonore, ou plus exactement des différences, des écarts sonores d'une rue à une autre. Le cinéma, et notamment les premiers films de Jean-Luc Godard, offre un aperçu de cette cartographie – des Champs-Élysées à Strasbourg-Saint-Denis, en milieu de matinée ou à minuit.

C'est sans nul doute l'une des grandes richesses du cinéma que de pouvoir faire éprouver les villes aux spectateurs. Les films de Martin Scorcese, et notamment *Taxi Driver*, sont absolument fascinants de ce point de vue : on y entend New York. De même le film *Ten* du cinéaste iranien Abbas Kiarostami a cette même ambition avec Téhéran : ne pas utiliser l'espace urbain comme un décor, mais en faire un personnage à part entière. L'héroïne, une femme d'une quarantaine d'années, ne dialogue pas seulement avec son fils, son ex-mari, une voisine…, mais avec sa ville. Comment faire pour les périodes antérieures à l'invention du cinéma parlant ?

On pourrait essayer d'établir une cartographie sonore de Paris au XIXe siècle à partir de sources non audio. Certaines descriptions romanesques, des séries de photographies, des articles de presse constitueraient le matériau à partir duquel on tenterait d'établir la carte. En travaillant avec des ingénieurs, on dresserait des échelles de bruit en fonction des qualificatifs relatifs au son. On traiterait alors de manière informatique des milliers de textes contemporains pour en extraire ce qui est relatif au bruit. La carte obtenue serait plus intéressante encore que celle que l'on produit aujourd'hui pour nos villes, car elle donnerait à entendre la perception de la ville par ses auditeurs contemporains.

On produirait ainsi, et en fonction des points de vue sociaux, des cartes sonores subjectives d'un même quartier. Alain Corbin a beaucoup fait en ce sens en introduisant du sensible dans l'appréhension du passé. Mais il s'agirait là d'intensifier la perspective et surtout de l'étendre. On verrait combien les villes étaient, il y a deux siècles, des espaces d'un immense vacarme, avec parfois des poches de silence que constituaient notamment les institutions religieuses ; le boulevard et, derrière, le cloître. Le crieur de journaux, et la nonne.

Il pourrait être instructif d'examiner comment une manifestation ou un autre événement – un défilé, le passage d'un cortège... – modifient une atmosphère. S'agissant de Paris, on pourrait clairement saisir les effets de l'haussmannisation sur l'ambiance urbaine. On verrait comment certains bruits en ont chassé d'autres, les faisant disparaître à jamais. L'historien en quête de sons.

En préparant une émission radiophonique à partir d'archives de France Culture conservées par l'INA, je constate en fouillant dans les inventaires qu'il n'y a pas que la voix des grands hommes que l'on a enregistrée depuis cinquante ans : dans les boîtes de métal se trouvent des milliers de voix anonymes. Il y a la voix collective des manifestants, ou bien encore des centaines de petits monologues de gens ordinaires. C'est l'un des miracles de la radio que de prendre au sérieux ceux qu'elle enregistre – la télévision, immédiatement, abaisse et déconsidère.

J'ai ainsi retrouvé les récits de vie de jeunes délinquants enregistrés entre 1960 et 1980 par plusieurs producteurs, dans des contextes très variés. Ce sont des paroles bouleversantes qui racontent, sans le miracle de la rose, le destin de petits gars et de jeunes filles placés dans les fermes du Morvan, mis au Bon Secours. Enfermés, soumis à des régimes violents, ils racontent sans détour, mais sans complaisance, ces années-là. Je me souviens en particulier de la voix de l'un d'eux, absolument incroyable, mélange de gouaille et d'accent du terroir, qui contait comment il s'était débattu dans le monde des adultes, celui de l'assistance, etc. Du Pialat pour de vrai.

En écoutant ces bandes, j'ai surtout découvert combien la tonalité de nos voix change en fonction des époques. On ne parlait pas de la même manière en 1960 et aujourd'hui. Ce n'est pas tant le vocabulaire qui a changé mais l'accent, la prononciation… Et ce n'est pas une affaire de linguistes. Ce qui est évident pour le corps, aujourd'hui en histoire, devrait l'être pour la voix. Si les historiens avaient davantage recours à ce type de sources, nous réaliserions que nous écrivons une histoire doublée. Pire : comme les doublages qui, faute d'argent, sont réalisés dans certains pays en mono.

C'est je crois l'une des dimensions à côté desquelles nous sommes passés avec Dominique Kalifa s'agissant d'Henri Vidal, le tueur de femmes de la Côte d'Azur. Nous n'avons pas pris en compte son fort accent provençal dans sa confrontation avec la justice, et avons ainsi mal mesuré combien il était déterminant dans son silence et sa stigmatisation.

On pourrait, à partir des archives radiophoniques, entreprendre ce qu'August Sander a fait dans l'entre-deux-guerres avec la photographie : un tableau complet de la société. Il y a assez de paroles enregistrées et aujourd'hui conservées à Bois-d'Arcy pour composer une histoire ordinaire du second XXᵉ siècle.

Basée sur un montage de ces voix parallèles, cette histoire ferait entendre non la voix d'un de Gaulle ou d'un Malraux, mais celle d'un artisan, d'un badaud, d'un gendarme, d'un clochard, d'une danseuse… Une histoire polyphonique et totalement ordinaire où l'histoire des gens se révélerait bien plus parlante que la Grande Histoire.

FILM LÉGER

Les musées de police et d'anthropologie criminelle furent très en vogue au cours des dernières décennies du XIXᵉ siècle. Dans ces étranges galeries étaient exposés sous des vitrines les armes des grands crimes, les crânes des condamnés, les dessins des bagnards et même des fragments de peaux tatouées. Si la fonction de ces musées était d'abord pédagogique, il est arrivé que les pièces les plus spectaculaires soient montrées hors du cercle restreint des spécialistes, pour témoigner du progrès scientifique, lors d'expositions universelles notamment.

La grande majorité de ces musées a disparu après la Seconde Guerre mondiale. Ainsi, le musée turinois du célèbre criminologue Cesare Lombroso a-t-il été fermé et ses collections absorbées par le nouveau musée de la Police, que les fascistes initièrent au milieu des années 1930. Ce sont aujourd'hui ces mêmes collections, mais totalement décontextualisées, qui sont présentées dans le musée pénitentiaire, abrité dans le bâtiment également occupé par le service antimafia, à deux pas du Campo de' Fiori. Plusieurs historiens commencent à s'intéresser à ces institutions. Mais les archives manquent et bien souvent il ne reste que peu de traces des modalités de collecte et de présentation. Quelques photos du musée de Psychiatrie de Lombroso avaient été publiées au moment du Congrès international d'anthropologie criminelle en 1906 : on y voit de grandes vitrines de bois sombre et, au centre des pièces, de lourdes vitrines derrière lesquelles on devine des objets.

Le musée lyonnais d'Alexandre Lacassagne est plus mal connu encore. On dispose simplement d'une brève description datant de 1890 :

« Le musée est installé au premier étage. La salle spacieuse qui lui est consacrée renferme des vitrines largement éclairées dans lesquelles sont arrangés méthodiquement des bocaux, pièces anatomiques, pièces à convictions, etc. L'ensemble des éléments réunis par M. Lacassagne constitue la synthèse des affaires médico-judiciaires de la région lyonnaise pendant ces dix dernières années. [...] Deux vitrines sont remplies de crânes provenant de morts accidentelles, crimes ou suicides. ils présentent le plus souvent des fractures par chute d'un lieu élevé, par coups de marteau, de hache, etc., ou des perforations par coups de revolver. On y trouve en outre une collection complète de projectiles et de cartouches de toutes dimensions. Signalons aussi deux armoires à poisons, une armoire renfermant des préparations microscopiques, des cheveux, des poils de provenances variées, des linges avec taches suspectes, taches de sang, de sperme, de pus, de sang de règles. N'oublions pas une curieuse collection de cordes ou liens de pendus et une magnifique collection de deux mille tatouages. »

Lors de la préparation de l'exposition *Le Médecin et le criminel* à la Bibliothèque municipale de Lyon, en 2003, un élément d'archives tout à fait exceptionnel a éclairé cette histoire : un film réalisé au début des années 1960 sur le musée d'Anthropologie criminelle de Lacassagne à la faculté de médecine de Lyon. Il s'agit sans doute du seul document donnant à voir ce musée dont les collections sont aujourd'hui dispersées.

Que montre ce film de dix-sept minutes ? Ses deux protagonistes sont un jeune couple d'amoureux venant visiter le musée. Tout commence dans la cour de la faculté, où arrivent en voiture les jeunes gens tout guillerets. En haut de l'escalier, un savant en blouse blanche, pipe en bouche, les accueille et les fait entrer dans une pièce remplie de meubles et d'objets. La caméra suit alors la jeune et jolie femme tandis qu'elle déambule dans les étroites allées du musée, s'arrête devant tel ou tel objet, s'interroge sur la fonction et l'origine de celui-ci, écoute la réponse de l'homme de science. La bande-son, qui jongle entre jazz et concerto pour violon, contribue à créer une étrange ambiance. Mais surtout, le film, qui n'est pas sans rappeler la nouvelle vague, introduit en permanence de l'ambiguïté : fétichisme et sado-masochisme. La jeune femme est ainsi fascinée par les chaînes et les multiples accessoires de contention. Avec un faux air naïf, elle touche à tous les objets pour découvrir ensuite leur terrible fonction.

Chez tous les historiens du crime, on retrouve quelque chose de cette ambiguïté. Pourquoi ne pas travailler sur ces musées de police et d'anthropologie criminelle en prenant comme perspective la nature ambiguë du regard porté sur ces collections ? Il faudrait, d'une manière plus générale, faire l'histoire de cet étrange rapport au crime que nous entretenons. On ferait l'histoire de ces musées avec celle des foires et des attractions vivantes. Souvent, d'ailleurs, les héros des premiers finissaient dans les secondes.

BIOGRAPHIE SUBIE

Dans la majorité des pays de l'Est, des lois ont été votées après la chute du mur de Berlin, relatives à la consultation des archives policières des régimes communistes. Soudain, les énormes archives de surveillance sont devenues publiques. Ces lois ont ainsi autorisé chaque citoyen à venir consulter le dossier qui avait été constitué sur lui par la police politique (KGB, Stasi, Securitate, UB...).

Cette consultation a été parfois, on le sait, très déstabilisante quand elle a révélé qu'un proche surveillait le suspect, que telle amie renseignait la police. Elle a aussi plus largement donné à voir l'entreprise absolument gigantesque de surveillance et de collecte des informations les plus banales.

Surtout, ces lois ont produit des expériences absolument singulières de confrontation d'un sujet à sa biographie. Autrement dit, brutalement des milliers d'individus se sont retrouvés face à d'imposants dossiers constituant le récit de leur vie et composé de relevés d'écoutes téléphoniques, de rapports de filatures...

L'écrivain roumain Stelian Tănase, qui fit cette expérience, relate remarquablement cette situation inédite dans la préface du livre où il publia en miroir l'entrée de son journal personnel et celle du rapport de police le concernant.

« Le 4 avril 2001, j'ai déposé une demande au CNSAS pour consulter mon dossier conformément à la loi 187 de 1999. Le 1er juin j'ai reçu une réponse par la poste. Ma demande avait été acceptée et j'allais être informé quand j'allais pouvoir consulter "les pièces du dossier". Environ deux semaines plus tard, on m'a téléphoné pour que je me présente au siège du CNSAS de la rue X. J'ai trouvé l'endroit assez difficilement, un bâtiment post-1989, "moderne", couvert avec de la pierre sombre luisante, quelque part à côté de la place de la Victoire, dans une rue cachée aux regards, détruite dans les années 1980 par des immeubles "prolétaires" qui avaient remplacé les anciennes maisons avec des jardins, des marchands et des fonctionnaires près de la gare du Nord. Je me sentais à ce moment-là comme on se sent lorsqu'on va à l'hôpital pour se faire consulter : on n'est pas à l'aise, on ne sait pas quelle maladie on va vous trouver. Je suis entré dans un hall typique d'institution. Des mesures de surveillance sévères. Un gardien vigilant derrière son pupitre. Des portes sûres. Il faut former un code pour passer d'une pièce à l'autre. Un jeune homme aimable m'a conduit avec un ascenseur à l'étage, ensuite dans une pièce large, lumineuse, avec de grandes fenêtres. À d'autres tables, quelques individus aussi curieux que moi lisent des dossiers. Les miens arrivent aussi, apportés assez vite. J'observe que le jeune homme aimable qui m'a accompagné ne se décolle pas de moi. Je voulais passer dans la solitude la confrontation avec mon propre passé. Cette présence étrangère m'incommode ; je la comprends. Quelqu'un avec des nerfs plus faibles, énervé, choqué, pourrait soustraire ou détruire des feuilles.

J'avais été prévenu par quelqu'un du CNSAS que j'avais un dossier "affreux". Il y a en fait deux dossiers cartonnés d'à peu près 500 feuillets. Je suis habitué à lire de tels documents. J'ai travaillé quelques années dans différents fonds d'archives. Pourtant je n'ai pas eu accès à des choses aussi explosives que les dossiers personnels. Pourquoi ai-je tenu à lire le mien ? Ai-je vraiment voulu retourner dans le passé ? Pourquoi ? J'ai assez d'amis qui ont refusé de le faire. Le passé, c'est du passé, enterré. La réponse n'est pas simple. À chacun ses raisons. Il y en a qui veulent oublier. D'autres pas. Pour moi, une explication serait mon habitude à lire des archives. Un geste strictement professionnel : j'ai lu sur d'autres, je lis sur moi aussi. Rien de personnel. La lecture de mon propre dossier a infirmé cette hypothèse. Il s'agit d'une expérience absolument personnelle et choquante.»

J'aimerais bien mener une étude auprès des personnes qui ont fait cette expérience et qui ne seraient pas écrivains comme Tănase. L'écrivain ou l'artiste est un sujet de biographie potentiel; lire un discours le concernant est pour lui commun. Il n'en est pas de même du quidam. Devenir l'objet d'une biographie écrite à son insu et contre sa volonté.

Les sciences sociales peuvent produire des situations qui, bien que moins tragiques, sont assez similaires. Les parcours de vie sont un des modes d'investigation et de restitution en sociologie et en ethnologie. À partir d'entretiens en tête-à-tête, le chercheur rédige une biographie de l'enquêté. *La Vida*, le livre classique d'Oscar Lewis sur «Les enfants de Sánchez. Autobiographie d'une famille mexicaine», une famille porto-ricaine new-yorkaise, est ainsi composé d'une série de biographies produites dans le dos des biographés – on imagine mal un chercheur aller demander son approbation à l'observé. Le spécialiste du monde ouvrier, Michel Pialoux, qui a enquêté pendant près de vingt ans auprès des personnels des usines Peugeot de Sochaux, raconte souvent combien les présentations des résultats de recherches sont plus éprouvantes devant les enquêtés que face à la commission du CNRS. Lire sa vie noir sur blanc est toujours une épreuve. Que dire de ceux, comme Annette Wieviorka, qui, travaillant sur l'extermination des juifs d'Europe, se retrouvent à donner à lire à des victimes de la Shoah le récit de leur propre souffrance, mais cette fois objectivée, quasi clinique. Les séquences les plus violentes du film de Claude Lanzmann sont, me semble-t-il, celles où un rescapé entend de la bouche du cinéaste le récit de sa vie.

L'une des premières réactions de résistance face à ce pouvoir biographique est celle d'une jeune femme dont la famille, à la fin du XIXᵉ siècle, avait fait l'objet d'un article intitulé «Une famille criminelle». Le docteur Aubry y montrait comment, sur plusieurs générations, une lignée s'était rendue coupable d'une série de crimes, révélant l'hérédité des comportements. La plaignante interrogeait le droit des chercheurs à s'emparer de l'existence d'individus et à en écrire la biographie. Bien que les savants eussent pris soin de gommer les identités, la jeune femme refusait une telle captation. En fait, la lecture de son histoire familiale avait provoqué un tel choc chez elle que l'idée que d'autres puissent également la lire lui était insupportable.

Le plus souvent, les écrits des chercheurs échappent aux enquêtés. Il faut avoir un courage et une énergie extraordinaires pour aller à la recherche d'un article lorsqu'on est néophyte : l'accès aux bibliothèques spécialisées est limité, les procédés d'indexation sont très techniques... Autant d'obstacles qui doivent décourager les non-chercheurs. Mais il est des exceptions, des enquêtés qui se glissent entre les mailles. Dans les recherches sur le sida, les enquêtés, qui, pour certains, étaient eux-mêmes chercheurs, ont posé aux sciences sociales de nouvelles conditions de production de ces récits. Ils ont refusé d'être les simples objets de biographie et sont intervenus dans le processus même de collecte de l'information.

Il y aurait donc une histoire à faire de ces confrontations avec les récits d'existence que les institutions produisent sur chacun d'entre nous.

L'ÉTOILE FILANTE

Albertine Sarrazin a eu une gloire littéraire de très courte durée : trois années à peine, entre 1965 et 1967, date de sa mort accidentelle lors d'une opération chirurgicale. Auteur de trois romans à caractère autobiographique, *L'Astragale*, *La Cavale* et *La Traversière*, dans lesquels elle raconte son évasion de l'asile du Bon Pasteur, son arrivée à Paris, ses mauvais coups et ses incarcérations et sa vie clandestine, Albertine est devenue l'une des premières stars de la littérature. *Paris-Match* lui consacra plusieurs reportages, elle enregistra un disque, passa à la télévision. Elle recevait par centaines, quotidiennement, des lettres de lectrices qui s'identifiaient à elle, à sa vie à l'ombre, malheureusement. Il faut dire que sa vie fut un vrai chemin de croix : fille adultérine d'un officier et d'une bonne, déposée à l'Assistance publique pendant une année, violée à l'âge de dix ans, enfermée à quinze à la demande de son père qui la jugeait trop indisciplinée. Son bac à peine en poche, elle s'enfuit à Paris où elle se prostitua, vola et se fit arrêter lors d'une tentative de hold-up qui lui coûta sept ans de prison. De Doulens, elle s'évada et rencontra

Julien Sarrazin, celui qu'elle épousera entre deux gendarmes quelques années plus tard. Mais elle mourut trois ans après l'installation du couple non loin de Montpellier, lors d'une opération chirurgicale.

Après sa disparition, le procès qu'intenta son mari aux médecins eut un grand retentissement. C'est d'ailleurs l'une des premières fois dans l'histoire pénale française que des médecins furent reconnus coupables de fautes professionnelles.

«Albertine était jolie, très photogénique, parfaitement à l'aise avec tout le monde [...] Son aspect fragile, délicat, contrastait violemment avec l'aura de scandale qui l'entourait et qui lui attirait les pires curiosités» : telles sont les raisons de son succès selon Josiane Duranteau, qui fut l'une de ses amies, l'auteur, au début des années 1970, d'une biographie qui complète admirablement la lecture du *Passe-peine*, ce gros volume posthume où ont été publiés lettres, poèmes et journaux personnels... Albertine y apparaît comme un double sympathique de Jean Genet, et une Violette Leduc joyeuse.

> *Au Palais d'injustice en la sanglante robe*
> *On t'a signé ce jour un bon d'éternité*
> *Ne dis rien mon caïd avant de fuir à l'aube*
> *Et jette ton désordre sur ma nudité*

Il serait intéressant, je crois, d'étudier l'apparition et la disparition du phénomène Sarrazin. Suivre ainsi comment elle passa des pages «faits divers» à la rubrique littéraire. En s'appuyant sur les travaux de Nathalie Heinich, étudier comment elle fut constituée en figure d'écrivaine en ce milieu des années 1960.

Enquêter sur cette étoile filante littéraire et la faire se télescoper avec une autre, apparemment à des années-lumière : Thérèse de Lisieux.

J'ai trouvé il y a quelques années à la librairie La Procure un fac-similé des cahiers de Thérèse édité dans les années 1960 avec un volume de transcription ainsi qu'un dernier tome bibliographique. L'ensemble est remarquable par le soin porté à l'analyse de l'objet écrit. Le premier cahier qui constitue « Histoire d'une âme » que Thérèse écrivit à la demande de sa supérieure, qui était aussi sa propre sœur, est très proche des écritures ordinaires contemporaines. Mais, ainsi reproduit, quasiment dans sa matérialité originale, il est comme doué d'un pouvoir d'attraction.

Cette mise en scène de l'écriture de la sainte, on la retrouve aussi sur les lieux mêmes de Thérèse, à Lisieux. Une partie de son culte repose sur les mots qu'elle a tracés tout au long de sa courte existence. La moindre prière manuscrite, le plus minime graffiti, la plus ordinaire missive furent archivés et mis sous vitrine. Il y aurait de ce point de vue-là une enquête à faire à Lisieux sur la manière dont a été organisée et dont fonctionne cette fétichisation de l'écrit. On pourrait établir un parallèle avec les maisons d'écrivains qui fleurissent ici ou là.

Il me semble que la manière dont les écrits de Thérèse ont été d'abord collectés, classés puis étudiés, mériterait une recherche tant le cas est précurseur en matière d'analyse de génétique textuelle. Bien avant les manuscrits de Flaubert, ont été scrutés ceux de la jeune carmélite normande.

Mais surtout, elle et Albertine la voleuse forment un duo inédit : toutes les deux ont connu une gloire inattendue, pour l'une de très courte durée, pour l'autre d'une incroyable longévité. Faire en parallèle le récit de ces deux existences mettrait l'accent sur les mécanismes de reconnaissance, sur les procédures de distinction, aussi.

L'ANCÊTRE ET LE FRÈRE

Mon arrière-grand-père fut un illustre des bas de page. Juriste nancéen, François Gény fut l'un des artisans de la mise en place d'une assurance sociale. Il fut aussi l'un des rédacteurs de la Constitution polonaise au lendemain de la Première Guerre mondiale. Dans les manuels de droit, les volumes de jurisprudence, il est souvent cité. François Ewald, dans *L'État providence,* lui consacre plusieurs pages ; Annie Stora-Lamarre, dans son étude des juristes de la IIIe République, aussi.

Il rédigea plusieurs livres, dont l'un sur le droit positif. Autant dire que sa bibliographie est pour le moins classique ; on est loin des polygraphes, ces lettrés du XIXe siècle qui ont laissé des mètres linéaires d'écrits, dans des disciplines aussi diverses que la poésie, l'éducation, la physique, l'archéologie, l'histoire locale… Gény n'avait pas cette fantaisie, ni ce plaisir.

J'ai récupéré, il y a peu, le journal personnel de cet illustre ancêtre, où vie de famille et parcours professionnel se croisent et parfois s'entremêlent. Personnage austère, le grand-père Gény était un homme très occupé, pris par ses cours à la faculté et ses travaux de recherches. Ma mère, qui ne l'a connu que durant les dernières années de sa vie, en garde ce souvenir. Ses cousines, dont le père siégea au Conseil d'État, ont probablement conservé des papiers, et peut-être même sa bibliothèque.

Envie d'écrire une biographie de ce familier inconnu. Y alterneraient les événements familiaux et l'histoire du droit. Cette biographie serait à l'image de son journal : duale. Il s'agirait surtout, au-delà de la personnalité de l'homme, de peindre le portrait d'un intellectuel de droite fin de siècle. Car François était un conservateur bien que ses travaux eussent modifié radicalement le droit contemporain. Plus encore, c'est le milieu de la bourgeoisie de robe nancéenne à la Belle Époque qu'il conviendrait, à travers lui, de peindre. Or Nancy est alors le centre d'une intense activité artistique et intellectuelle : il y a le magnétisme d'une part et l'Art nouveau de l'autre. C'est donc cet étonnant mélange dont une ville est le théâtre, au beau milieu de l'Europe et avant le grand cataclysme, qu'il faudrait étudier.

En somme, sortir l'arrière-grand-père du bas de la page et en faire un personnage des romans de W. G. Sebald. Et comme dans ces romans, le xxe siècle viendrait rattraper le précédent. Loin de s'arrêter à la mort de l'ancêtre, cette chronique de la Lorraine se poursuivrait en la figure d'un petit enfant, son arrière-petit-fils. On se retrouverait au printemps 1965, lorsqu'un ingénieur des houillères et son épouse perdirent accidentellement leur premier enfant. Il s'agissait d'un garçon prénommé Laurent, Horace, Hamlet, né trois ans et demi auparavant, frère aîné d'une petite fille née en juillet 1964.

Cet enfant était mon frère. Mes parents habitaient alors

une maison non loin d'un site minier. Ils déménagèrent au lendemain du drame et ne revinrent jamais sur ces lieux. Quelque trois ans plus tard, mon père changea d'emploi et commença à travailler dans l'urbanisme : construire plutôt qu'extraire.

Cinquante années après les faits, il faudrait mener une enquête sur la mort de cet enfant. Nulle investigation psychologique, mais une approche qui emprunterait le plus possible à la démarche historienne. On chercherait à établir d'abord les faits à partir des documents conservés et des témoignages recueillis. On soumettrait à la critique tous les témoignages, sans risquer de heurter les sensibilités.

Comme James Ellroy dans *Le Dahlia noir* et *Ma part d'ombre*, on chercherait ensuite à partir de cet événement et grâce à celui-ci, à décrire la vie dans les cités des houillères, les relations des mineurs avec les ingénieurs, de leurs femmes respectives, toutes les infimes tensions de cette vie en communauté forcée. Car la mine s'étendait bien au-delà du puits : maisons, magasins, écoles, loisirs, tout y était attaché. On n'en sortait pas : aussi fallait-il vivre avec, s'arranger avec ces contraintes qui, sur bien des aspects, ressemblaient à celles des familles de militaires. Le bassin minier était donc aussi un berceau où des vies se faisaient et se défaisaient.

C'est-à-dire qu'à partir de la mort d'un enfant, exactement comme en miroir de l'illustre ancêtre, on tenterait de ressusciter cet autre monde aujourd'hui disparu. Les houillères de Lorraine, comme celles du Nord, ont fermé. Qui se souviendra dans quelques années que le destin de générations d'hommes et de femmes fut d'être des gueules noires ? Un enfant pour partir à la recherche des mineurs. La démarche ne serait pas folklorique mais bien clinique : comment cette double mort s'est-elle produite ? Autrement dit, on appliquerait le plus littéralement possible le projet de Michelet de résurrection du passé.

Cette double biographie serait bien plus que celle d'un lieu ou d'une famille ; elle inscrirait les âges d'or et les moments de crise dans les destins du vieux juriste et du petit enfant. Elle s'approcherait sans doute de ce qui échappe toujours au récit historique et qui est pourtant si précieux : la vie.

POSTFACE

Ouvroir d'histoires potentielles

Au milieu des années 2000, encouragé par quelques amis et l'éditeur Rémi Toulouse, je décidai de mettre noir sur blanc mes «rêves» d'histoire, ces envies qui viennent frapper au bureau de l'historien et qu'embarrassé il fait entrer, écoute un bref moment, puis dans la majorité des cas, un peu gêné, reconduit poliment à la porte. Ce livre, conçu en quelques mois, était le moyen à la fois de partager telle ou telle de mes petites obsessions – ces rêves que d'aucuns disent obsédants – et de m'autoriser à mettre en forme ce qui précède la rédaction d'un article et d'un livre; en somme, des avants.

À un moment *t*, je livrai une coupe de mes folies d'historien avec l'inavouable désir que d'autres s'en saisissent ou mieux encore que des entreprises collectives puissent les développer. De fait, certains de ces scenarii ont soit croisé les préoccupations de rares confrères – du moins est-ce en ces termes qu'ils m'en firent part – soit fait l'objet d'études plus approfondies de mon côté. C'est à partir d'un chapitre de cet ouvrage qu'un éditeur m'a proposé d'inaugurer une nouvelle collection par un titre sur la banderole comme objet politique. J'ai aussi eu envie d'explorer certaines de ces pistes potentielles, ouvrant des dossiers, commençant avec les divers éléments recueillis à tisser. J'ai plongé là où je ne pensais pas, l'intuition est alors devenue chantier.

Avouons-le cependant, mon grand rêve collectif n'a pas eu lieu, aucun de ces avant-projets n'a donné naissance à une équipe, à un attelage... pouvait-il en être autrement? Mon geste était paradoxal : certes, je partageais ces esquisses, ces schémas, mais en les fixant sur le papier, en les signant, j'empêchais leur appropriation. Inconsciemment, je cherchais à définir mais aussi à faire mien un territoire, celui d'une histoire de l'ordinaire à la rencontre de Perec et de Foucault. Le geste se voulait généreux mais n'était pas dépourvu d'un désir hégémonique et de brutalité. Les réflexes du métier firent le reste, on a si peu l'habitude de partager en sciences sociales.

Ce recueil de variations d'histoire contemporaine a sans doute eu sur moi un effet inattendu. Il m'a permis, par la réception qui en a été faite, de saisir combien les historiens étaient en ce début de XXIᵉ siècle désireux de se risquer hors des sentiers battus, que ce que j'avais produit avec ce livre n'était que le symptôme d'une discipline qui face à la toute-puissance du témoignage ou des œuvres artistiques et littéraires, souhaitait se renouveler, et même s'aventurer à pratiquer une histoire sans filet.

On a ainsi vu émerger des histoires fragiles, à la croisée de l'individuel et du collectif, des « essais » qui ont déplacé la position de l'historien et donc son regard sur ses objets et ses pratiques. Alors que l'historiographie contemporaine a beaucoup mis l'accent sur les nouveaux objets de l'histoire, des spécialités qui se sont multipliées à l'infini sous influence anglo-saxonne – *queer, gender, black, post-colonial, porn* et autres *cultural studies* –, la question du récit a été délaissée. Or, en me replongeant dans ces « rêves », je réalise aujourd'hui combien cette question de la mise en récit, de la narration, était et reste au centre de cet ouvrage. Sans doute n'est-ce pas anodin que l'on se mette aujourd'hui à relire Georges Duby, Michel de Certeau ou Arlette Farge. L'admiration qu'on leur porte tient moins à leur grande érudition qu'à leur capacité, aux uns et aux autres et de manière très différente, à se faire d'extraordinaires écrivains publics de notre passé. J'utilise à dessein ce terme d'« écrivain public » car si ces historiens ont patiemment construit une œuvre, pour autant la tentation littéraire qui ici et là affleure – de façon parfois explicite-ment revendiquée comme chez Arlette Farge avec *La Nuit blanche* – ne devient pas dominante ; le projet de produire un discours de sciences sociales demeure toujours premier. Écrivains publics, ils le sont aussi dans la mesure où ils entreprennent, non de combler les silences ou de relayer la parole des morts, mais de se faire les récepteurs d'énoncés extraits des archives, opérant cette délicate tâche de transmission du récit de la vie aux destinataires inconnus que nous sommes. À l'écrivain public on délègue le pouvoir d'écriture, on lui confie la plume, on lui laisse la manière, le style, l'architecture textuelle. L'historien assume cette même charge : à lui de construire cet hybride objet qu'est le récit historique.

Ces dernières années, des historiens ont remis sur l'établi du chercheur cette question par des propositions très diverses et parfois même contraires les unes les autres. Patrick Boucheron, Ivan Jablonka, Sylvain Venayre et les autres joueurs du dossier Bertrand, Laure Murat, Christophe Prochasson, Antoine de Baecque, Stéphane Audoin-Rouzeau… On pourrait multiplier les exemples pour illustrer la façon dont l'histoire a pris non des chemins de traverse mais retrouvé un caractère expérimental. Si l'histoire est une science, elle est fille de son temps, elle se cherche, elle se déplace ; sinon elle stagne, se dogmatise et devient mythologie. Dans ces *Rêves d'histoire*, il s'agit par conséquent à chaque fois de projets qui ne visaient pas à faire école mais à tenter une certaine manière d'écrire l'histoire et de la penser.

Contre l'histoire en dictionnaire, contre un néo-positivisme qui ouvre des boulevards au révisionnisme, prônons donc une histoire potentielle. Ne faisons pas de cette discipline le lieu de la pensée grise, l'espace suffisant d'un savoir qui se mire, mais inventons des formes nouvelles de récits historiques, essayons, errons, cognons-nous à d'autres pratiques; autrement dit, expérimentons, ratons, risquons-nous, remettons-nous à douter ensemble.

La Gagère, mai 2014.

ICONOGRAPHIE

Page 20 – Virage «en épingle à cheveux» sur la Highway 11 (sud-est / nord-est, États-Unis), carte postale sans date achetée sur un parking servant de *flea market* le dimanche à NYC, été 2010.

Page 46 – Pense-bête sur enveloppe administrative trouvé dans l'entrée d'un immeuble situé rue Bellier-Dedouvre, Paris XIIIᵉ, 2005.

Page 49 – Photographie N&B de l'intérieur d'une centrale thermique en Roumanie, sans date, achetée avec vingt autres lors d'un vide-grenier de la mairie du IIIᵉ arrondissement, 2009.

Page 60 – Croquis préparatoire de Wonder Woman, via Jeanne Guyon, juin 2014.

Page 63 – Page d'un petit carnet avec notation d'offres d'emploi, acheté sur la brocante du marché d'Aligre, à Paris XIIᵉ, 2008.

Page 64 – Double page du journal d'un ouvrier de l'arsenal de Cherbourg, propriété de Jean-François Laé.

Page 64 – Carnet offert par l'architecte Antoine Mortemard et trouvé lors d'un de ses chantiers.

Page 65 – Carnet de rêves, acheté place du Jeu-de-Balle à Bruxelles, un dimanche matin.

Page 65 – Carnet d'autographes, acheté dans un *flea market* de la 27ᵉ Rue, à Manhattan.

Page 66 – Carnet-cartes postales, Ontario, acquis à Montréal.

Page 70 – Photographie d'une femme polonaise, achetée à Varsovie, quartier de Pragua, non loin du stade, un dimanche matin.

Page 73 – Lettre d'une enfant à son père, années 1930, trouvée dans un tiroir.

Page 77 – Photographie de statues, parc du château de Versailles, prise un hiver par Robert Artières, années 1980.

Page 87 – Photographie d'une manifestation de chômeurs, prise par Yves Pagès et donnée à l'auteur, printemps 2014.

Page 95 – Institution scolaire, pensionnat, carte postale avec annotations manuscrites, achetée dans un vide-grenier, je ne me souviens plus où.

Page 103 – Bulletin de dératisation trouvé avec une vingtaine d'autres dans la cave d'un immeuble du boulevard du Temple à Paris en 2008.

Page 118 – Dortoir de l'institution Sainte-Marie à Flers, carte postale, sans date, trouvée dans un livre acheté d'occasion chez un libraire du Quartier latin.

Page 134 – Maison forestière et chapelle de la Chapelotte dans les Vosges (après la guerre de 1914-1918), carte postale, offerte par une amie en 2013.

Page 144 – Photographie argentique N&B d'une ouvrière, achetée lors d'un vide-grenier, boulevard Voltaire, printemps 2014.

Page 152 – Livret d'apprentissage, au nom de Serge T., incarcéré à la Santé en 1946, acheté avec un lot de lettres au début des années 2000 sur une brocante du boulevard Blanqui.

Page 163 – Calque de la silhouette de Laurent Artières, réalisé par Robert Artières, années 1980, trouvé dans ses affaires après sa mort.

Page 168 – Photographie argentique N&B d'un paysage du causse Noir, réalisée par Robert Artières, trouvée dans ses affaires après sa mort.

.